Passages

DU MÊME AUTEUR

Aux Éditions Pierre Tisseyre

Paysage de l'aveugle, 1977

Aux Éditions Albin Michel

La Discorde aux cent voix, 1986

Les Urnes scellées, 1995

Aux Éditions Le Serpent à Plumes

Mère-Solitude, coll. Motifs, 1994

Aux Éditions Gallimard

Mille eaux, coll. Haute Enfance, 1999

Émile Ollivier

Passages

Roman

LE SERPENT A PLUMES

Collection Motifs
dirigée par Pierre Bisiou

MOTIFS n° 121

Première publication : Éditions de l'Hexagone, 1991

Première publication en France : Le Serpent à Plumes, 1994

Illustration de couverture: © Karen Petrossian,
Olivier Mazaud, Bernard Perchey

N° ISBN: 2-84261-156-X

LE SERPENT A PLUMES

20, rue des Petits-Champs – 75002 Paris
http://www.serpentaplumes.com

À PROPOS DE L'AUTEUR

ÉMILE OLLIVIER est né en 1940 à Port-au-Prince, Haïti. Membre actif de l'Union Nationale des Étudiants Haïtiens, il est contraint de s'exiler en 1964. Après un séjour d'études en France, il s'installe à Montréal, où il vit aujourd'hui et enseigne à l'université. Outre *Mère-Solitude*, prix Jacques Roumain 1985, il est aussi l'auteur de *La Discorde aux cent voix* et d'un recueil de nouvelles, *Paysage de l'aveugle*.

Passages a reçu en 1991 le Grand Prix du livre de Montréal.

Je ne peins pas l'être, je peins le passage.

Montaigne, *Les Essais*

PREMIÈRE PARTIE

LES QUATRE TEMPS DE L'AVENT

Aller de l'avant, j'appelle ça de l'avant,
je suis toujours allé de l'avant, sinon en ligne droite,
tout au moins selon la figure qui m'avait été assignée.

Samuel BECKETT, *L'Innommable*

I

LES SEPT VISIONS D'AMÉDÉE HOSANGE

IL Y A LA MER, il y a l'île. Du côté de l'île, la mémoire n'est pas neuve ; elle n'est même plus très jeune. La moindre parcelle de terre peut être considérée comme un tertre magique où se sont réfugiés mânes des ancêtres, figures des héros de l'Indépendance, mystères, loas et dieux de sang. Montagnes et mornes, rivières ou estuaires, sources et lacs, routes ou sentiers, cases et crânes sont habités par la mémoire. Sans elle, pas de connaissance en profondeur.

Il y a la mer, il y a l'île. Du côté de l'île, sur le versant nord-ouest, une zone marécageuse lentement conquise par palétuviers et mangliers. Un paysage comme on en voit dans la Bible. À celui qui arrive par la mer, Port-à-l'Écu se présente sans espoir de fuite et sans salut. Empêtré de racines et de lianes, Port-à-l'Écu répète sans cesse le même décor, les mêmes limites, sur des kilomètres, à perte de vue, jusqu'à épuisement : terres boueuses, sulfurées, territoire de l'incertain où l'on ne sait si c'est la mer qui envahit le sol ou le sol qui s'annexe la mer. Port-à-l'Écu, ce n'est plus le pays de la canne à sucre ; les loups-garous y ont élu domicile et parfois volent en plein jour. Nul besoin de chercher ce nom sur une carte ; il ne figure sur aucune. Port-à-l'Écu n'existe plus. Port-à-l'Écu ne se trouve nulle part. Et pourtant, il n'y a guère de temps, c'était un village qui comptait tout près de trois mille chrétiens vivants. Il y avait à Port-à-l'Écu dix carreaux de terre, un bien grand et riche domaine, belles cases, cinq maîtresses, des deux-moitiés, vaste grange. Là vivait Amédée Hosange. Il tenait la terre de son grand-père, lequel l'avait obtenue, disait-il, de la main même de l'Empereur, au lendemain des grandes tueries de l'Indépendance.

Ce vieux rat d'Amédée ! Quand je l'ai connu, je sortais de l'enfance, à peine quinze ans, sa silhouette et sa démarche ne ressemblaient pas du tout à ce qu'elles étaient devenues, ces derniers jours : celles de la lourdeur, de l'impair, du faux-pas. De santé robùste, à l'approche de la quarantaine, sa stature en imposait à tous, avec ses allures de grand seigneur. Sa vareuse indigo, toujours entrouverte, laissait voir un torse velu, puissant ; quelques rides au coin des yeux et sur le front, sous une tignasse de cheveux crépus parsemée de mèches grisonnantes, accentuaient la virilité de son visage.

À la tombée du jour, à l'heure où les femmes venaient puiser l'eau à la source, elles le trouvaient là, vautré dans l'herbe, au milieu d'un concert d'anolis, de criquets et de crapauds. Il donnait le coup de main pour charger la lourde calebasse et la poser en équilibre stable sur le sommet du crâne. Il excellait dans l'art de causer aux femmes ; jeunes et moins jeunes gloussaient à ses taquineries. Rien ne paraissait pouvoir résister à sa bouche accueillante et vorace. Le dimanche, en veste blanche fleurant l'ilang-ilang, pantalon kaki frais repassé, bien escampé, les plis droits tombant sur des chaussures vernies, chapeau haut-de-forme, œillet rouge à la boutonnière, il était toujours disponible pour toute fête où l'alcool de canne coulerait à flots, où les jeux et les femmes seraient de la partie.

Moi, à cette époque, déjà amoureuse mais timide, je m'arrangeais pour qu'il ne me présente que son profil. Si d'aventure je le rencontrais face à face, je gardais la tête baissée, coulant de temps en temps vers lui un regard en coin, voilé par mes longs cils. J'aurais fondu, glace au soleil, s'il m'avait regardée droit dans les yeux. Avec cet homme, j'aurais pu aller au bout du monde s'il me l'avait demandé. À cette époque, il me semblait que la mer, emplie de voiliers, ne pouvait franchir la ligne d'horizon.

À dix-sept ans, j'avais perdu ma gaucherie de gamine. Cet homme, je le voulais. Je rêvais d'idylle avec lui, s'engageant, se fortifiant, se développant, entrecoupée par intermittence d'indispensables disputes, suivie de réconciliations comme dans les livres. Les soirs à la fontaine, j'avais beau tourner autour de la vasque, afficher des airs aguichants, multiplier roues et attitudes de séduction, il s'obstinait à m'ignorer, ne me faisant même pas l'aumône d'un regard. Après son départ de la source, toujours accompagné d'une des négresses venues puiser l'eau, je remontais, seule, le sentier qui bordait la rivière aux eaux calmes, lisses, sans une ride, découragée. Et le lendemain, je recommençais mon manège.

Un jour, à la surprise de tous, au grand dam de ses concubines, Amédée, fatigué de disperser sa semence aux quatre coins cardinaux, m'a élue, moi, Brigitte Kadmon, femme légitime et je suis devenue man-Hosange.

Amédée remémorait souvent, au début, le soir de ses noces : voyant la beauté de son épouse en robe de dentelle, belle comme l'agnelle au printemps de l'agnelage, il s'était écrié : « Mon bonheur est parfait ! » Moi, j'avais posé un doigt sur ses lèvres. « Cela, il ne faut pas le dire. On risquerait d'attirer sur nous la jalousie des hommes et des dieux. »

Je viens, monsieur, d'un lieu où l'on croit aux signes et aux songes. Jamais, que j'avais dit à

Amédée : le bonheur doit rester muet. J'avais jeté une pincée de sel dans le feu. Et, toute la nuit, j'avais rêvé d'un petit bonheur sans tambour, sans vacarme, sans cuivre ni clairon, sur une terre qui donnerait en abondance tout ce qu'on pouvait désirer, tandis que notre amour éclairerait la maisonnée, les cases avoisinantes et le jardin. Les années passèrent.

Un midi réapparut au village, maigre, décharné, avec deux grands trous noirs à la place des yeux, un revenant du silence des enfers, un homme qui avait été expulsé de Port-à-l'Écu des années auparavant. Les habitants le détestaient parce qu'il était un mauvais coucheur, un homme de sac et de corde. Aux dernières nouvelles, il était parti dans les pays de l'autre côté de la mer, faire fortune. Ce jour de son retour, il tenait serré sous son aisselle droite un coffret métallique. Sans un salut pour ceux qu'il croisait en chemin, il avait regagné son ancienne case. Le lendemain, on l'a trouvé mort dans le champ de maïs à la lisière de notre habitation, son coffret dans les bras. Aucune force humaine ne parvint à l'en extraire ni même à l'entrouvrir, si bien qu'il fallut l'enterrer avec son secret. J'ai assisté à la veillée. Je me souviens encore du lourd regard des hommes, un mélange d'inquiétude et de tristesse.

À partir de ce jour où Célhomme a été mis en terre, l'eau a déserté Port-à-l'Écu. Quand, dans le ciel, la nordée, ce vent mauvais, gonflait les nuages, elle les faisait éclater dans un tonnerre épouvantable, charriant alors la lavasse qui lessivait tout sur son passage. L'agronome disait, lui, que l'abattage pratiqué de façon intensive, depuis que la scierie a été installée, avait détruit les barrières naturelles qui retenaient la terre et endiguaient l'écoulement des eaux. Pauvres récoltes, maigres troupeaux, le ciel rayé de corbins ravageurs, la grange envahie de vermine : fourmis, rats, souris, blattes, cafards. En avril et mai derniers, pas un nuage n'a éclaté. L'herbe s'est desséchée et a tourné au jaunâtre. Le petit ruisseau, en contrebas de la route, était sec, sans une goutte d'eau : un lit de pierres. La terre grise, craquelée, a fini par tomber en poussière. La chaleur brûlante et sèche arrivait dès l'aube, chargée de taons et d'anophèles, sous un ciel blanc, amas diffus d'ouate.

Récemment, en juillet, non, en août, la foudre a allumé un grand feu et tous nos arbres, manguiers, avocatiers, arbres véritables, fruits à pain, ont été calcinés. Ce n'est pas tout. Les charençons ont attaqué épis de maïs et de millet, et toutes nos bêtes, après une invasion de criquets, ont péri. Le malheur avait croisé ses pieds sur nos poitrines.

Amédée avait juré qu'il mourrait sur sa terre non point par patriotisme, mais par paresse, ironisait-il, car, ayant déjà parcouru toute la Caraïbe, et pourvu d'une faible imagination, il ne savait plus où aller. Aussi avait-il décidé de s'asseoir sur la galerie de la case, à côté de moi ; et à nous deux, nous faisions une bonne paire de hiboux, sans voix, réduits à deux regards perchés sur une branche. Le domaine était désormais livré aux dents rongeuses des cactus et des bayahondes qui servaient de décor à notre cauchemar éveillé. Un charnier peuplait notre vie.

Malgré tout, malgré tout cela, Amédée se sentait en accord avec ce pays maudit, placé entre un horizon de rocailles et l'appel de la mer. De cette terre, il savait tout, il avait tout vu, tout entendu. Il l'avait foulée en nomade, plante parmi les plantes, bête parmi les bêtes ; il avait regardé grandir les cocotiers et les palmiers, il avait observé les insectes, il avait écouté les histoires et les légendes. Il l'avait même mangée, cette terre, pour en éprouver le goût noir.

De sa vie, Amédée n'avait cessé de se frotter aux esprits de la plaine, aux dieux délurés, aux prêtresses endiablées. Homme d'humus et de racines, Amédée connaissait les humidités enfouies. Le spasme des corps exaltés, la jungle des désirs tapageurs constituaient son univers familier. Le tambour et son tam-tam, l'odeur des bois et la montée de leur sève avaient habité l'espace de ses jours. Ses dix carreaux de terre représentaient un lieu polyvalent : chambre d'écho pour la voix des ancêtres, sanctuaire, territoire de labours, de chasses rituelles, zone sacrée.

Amédée possédait une connaissance et une intelligence des êtres, une expérience intime et atavique des choses. La soixantaine largement entamée, cactus, oiseaux-mouches, fourmis rouges d'Amérique, jasmin de nuit, tuf, pierre à chaux, lui avaient au fil des années livré leurs secrets. Survivant d'un ordre archaïque, il avait la nostalgie des rites et des règles de l'ancien temps, héritage tenace. Au siècle passé, l'aïeul, avant lui, avait eu la nostalgie de la Guinée.

Il vivait dans la hantise de l'imminence de la fin du monde. Contre cette déréliction sans résipiscence qui rejaillissait sur la plaine tout entière, il n'avait pas de remède. Les ancêtres avaient oublié de lui laisser quelques secrets pour parer à ce genre d'inconvénients. Il croyait le pays tout entier devenu le jeu de quelque force du Malin : échappée du domaine des morts, elle nous actionnait, marionnettes désarticulées. De là à penser que la fin était proche, qu'un grand vent ne tarderait pas à se lever pour emporter choses, bêtes et gens dans un saccage meurtrier, il n'y avait qu'un pas, un gué étroit qu'Amédée eut vite fait de franchir. « Ce pays n'est qu'un grand arbre, un mapou, disait-il souvent d'un ton sentencieux. Un jour prochain, il s'effondrera, rejoindra la mer, s'en ira vers des eaux profondes où son bois, flotté, roulé, raviné par le sel, prendra sa forme définitive de barque pour la mort. »

Au début, quand les calamités ont commencé à s'abattre sur Port-à-l'Écu, il avait pensé faire le tour de l'île pour annoncer l'apocalypse prochaine. Il aurait prêché, la main gauche sur les Écritures, la pénitence, tandis que de la droite, il exhorterait ses concitoyens à le suivre, pour élever au plus haut pic du morne La Selle, un temple, véritable république des pyramides aztèques, à la gloire des dieux ancestraux. Réflexion faite, il se ravisa. Bien que servir Dieu d'une main et les loas de l'autre soit pratique courante, dans cet univers de soupçon et de méfiance, ce n'était pas une conduite recommandable. D'autant plus qu'un individu qui se faisait passer pour un prophète, du nom de Céroulo, lui avait damé le pion. Vêtu d'une bure qui cachait mal son obésité, les pieds poussiéreux dans des sandales de berger, les avant-bras tatoués de dessins cabalistiques, cet homme à la peau blanche plus blanche que blanc d'œuf, avait une allure peu rassurante. Un index menaçant, un regard dur sous une crinière de flammes rebelles évoquaient saint Michel archange.

Un beau jour, il devait être environ dix heures, Céroulo avait débarqué d'une camionnette tout un attirail de cirque. Aidé d'un secrétaire qui le suivait comme son ombre, il avait monté une sorte de chapiteau sur lequel il installa deux haut-parleurs. Des rythmes, des chants jamais entendus troublèrent la quiétude de Port-à-l'Écu. La foule des désœuvrés fit cercle autour de lui. Le spectacle ne tarda pas à commencer : bruit d'orage accompagné d'éclairs qui zébraient la toile du chapiteau. Au micro, Céroulo commença à hurler : « À bas Satan ! Jésus, seul capable de nous délivrer de Satan ! » Aux délaissés qu'étaient les habitants de Port-à-l'Écu, il avait parlé de la fin des temps, des âmes qu'il fallait sauver de l'enfer : « Que celui qui a des oreilles pour écouter le fasse attentivement. De nombreux malheurs ont accablé votre région, mais vous n'avez encore rien vu. Redoutez les souffrances qui vous attendent si vous ne sortez pas des griffes du Mal. Satan, hypocrite séducteur, s'est installé parmi vous. Il vous a promis monts et merveilles et vous vous êtes faits ses serviteurs zélés. Vos péchés se sont amoncelés jusqu'à atteindre la voûte céleste. Dieu a comptabilisé toutes vos iniquités. Si vous persistez dans cette voie, un fleuve de feu, une mer de soufre embrasé vous enseveliront. Des épreuves pires que celles que vous avez déjà connues s'abattront sur vous. » Céroulo suait à grosses gouttes. Il s'arrêta pour reprendre souffle, s'éponger. « D'où sort-il, cet enfoiré ? Que nous veut-il ? » interrogea Philéus Corvolan tout essoufflé d'avoir couru de l'école à la Place. De loin, il avait entendu le tapage des haut-parleurs. Après avoir enfermé ses élèves, barricadé la barrière de l'école, il s'était précipité aux nouvelles. « Mais que nous veut-il, cet enfoiré ? » Il ne tarda pas à le savoir, Céroulo reprenait son sermon : « Il n'est pas trop tard, je peux ouvrir devant vous une porte que personne ne pourra plus jamais refermer, si vous vous repentez. Repentez-vous ! Repentez-vous et vous ne connaîtrez plus de tourments ni de malheurs ni de deuils ni de famine. Repentez-vous ! » Le secrétaire passa un vieux sac de voyage pour recueillir des oboles qui, disait-il, devraient servir à relever les cimetières et à construire des temples de Salut. Nous apprîmes par la suite que Céroulo avait ainsi traversé tout le pays, remuant sur son passage des foules à remplir chaque soir le stade Sylvio Cator.

Amédée n'aurait pu rivaliser avec Céroulo. Nul n'est prophète en son pays, cela est bien connu. Et puis, il lui aurait fallu remettre les pieds en ville, ce lieu suffocant de chaleur, de poussière, de relents de sueur. Non merci pour lui !

La ville, c'était ces camionnettes grises de suie, procession de crabes somnambules ; et ces adolescents traînant dans les caniveaux, faméliques, exsangues, qui surveillaient le passage du train de la Hasco pour y dérober quelques tiges de canne à sucre ; et tout le peuple des bidonvilles qui attendait le train pour se nourrir, risquant à chaque fois, mais qu'importe, d'attraper un cinglant coup de cravache du surveillant engagé par la compagnie sucrière pour que le train ne rentre pas vide à l'usine ; et ces autos aussi grosses que des corbillards klaxonnant à tue-tête ; et ces colonnes de bœufs à la queue leu leu, marchant vers l'abattoir ; et ces mules sur l'asphalte, chargées de bananes vertes, d'ignames, de patates douces, conduites par des paysannes coiffées de chapeaux de paille aux larges bords qui dérobaient leur visage autant à la curiosité des citadins qu'à l'ardeur des rayons du soleil. Non, merci pour lui !

La ville, ce n'était que boue et fatras entassés, grouillance de vermine, petites et grandes misères, déveine cordée, portefaix en lambeaux et nourrices aux poitrines décharnées qui dormaient sur les galeries, leurs rejetons recroquevillés contre elles. La ville, c'était le marché de l'indigence, le parvis de la mort lente sans cesse recommencée.

Et quand arrivent dans la ville ce que les autorités, les gros zotobrés, appellent les personnages de marque, on effectue un grand nettoyage, encore plus pénible à supporter que l'étalage des tribulations. Le dernier dont Amédée a été témoin eut lieu lors de la visite du président américain. Le grand branle-bas avait commencé longtemps à l'avance et le vendredi qui précéda l'arrivée du président, les marchandes, installées d'habitude dans les rues où devait passer le cortège, avaient été chassées par la police ; les mendiants en haillons qui se précipitent sur les étrangers, dans l'espoir de recueillir quelques sous, qui s'agglutinent aux portes des restaurants et des hôtels, avaient été pourchassés au-delà des portails de la ville. Des équipes de nettoyage avaient fumigé le quartier nauséabond de Bel-Air dans l'espoir qu'il mériterait enfin son nom, pour le passage de l'homme d'État. L'odeur de l'insecticide avait remplacé la puanteur des égouts, des fruits et légumes pourris, abandonnés sur le béton de la place du marché. La ville, non, merci pour lui !

Il y a la mer, il y a l'île, une île naviguant sur fond de mer. Port-à-l'Écu était devenu méconnaissable, un village jonché d'âmes mortes, de pierres muettes battues par le vent. Ses habitants demeuraient enfermés dans un mutisme fait de peur, mais aussi de défi et de fierté, image d'un peuple à l'abandon qui malgré tout prenait à bras-le-corps cette terre de débine sans oripeaux, maraudant follement ses malheurs dans un paysage assassin.

Un après-midi de septembre, accoudé à la balustrade qui entourait la galerie, Amédée me dit à brûle-pourpoint, en levant vers moi un regard plein d'eau : « Quand tombe le crépuscule de l'âge et qu'un panorama vide se déroule devant nous, l'existence nous force à penser que si l'être humain avait le choix, la meilleure solution aurait été de ne pas naître, mais une fois né, de mourir le plus tôt possible. »

La tristesse submergeait son visage. Il prit une chaise basse paillée et la traîna jusqu'au tronc du vieux cocotier en bordure de ce qui fut la rivière, là où elle coulait naguère babillarde, d'humeur vagabonde. Ainsi, face au soleil, il pouvait regarder la terre desséchée descendre en pente raide vers le marécage salin qui n'arrêtait pas de la ronger. Il enfonça son chapeau de paille tressée jusqu'à la hauteur des sourcils pour se préserver de la réverbération du soleil. Dans cette position favorite, il écoulait, les yeux mi-clos, l'instant de la sieste. Le repas de midi avait été lourd : semoule de maïs, haricots rouges, bœuf salé en aubergine. Amédée ne tarda pas à s'assoupir.

Qui n'a connu ces instants privilégiés où soudain luit une révélation ? Les sensations, d'abord confuses, acquièrent une grande luminosité ; les questions jusque-là indéchiffrables trouvent réponse. Amédée me raconta qu'il eut quelques visions déterminantes dans la décision qu'il devait prendre par la suite. Je dis bien « visions », le mot convient, je crois, pour coiffer ces images qui nous viennent soit sous la forme d'un rêve éveillé, soit en plein sommeil, apparitions ou songes, dont on se souvient longtemps après le réveil.

Amédée vit passer de l'autre côté de la rivière deux hommes qui déroulaient un mètre pliant ; il en déduisit qu'il avait en face de lui des arpenteurs. Pourquoi mesurent-ils notre terre ? Elle n'est pas à vendre, pensa-t-il. Les deux hommes parlaient à voix basse ; Amédée ne put saisir que des bribes de leur conversation, des mots, « compagnie », « déchets toxiques », « décharge », « absence de lois », « Américains », « dollars verts ». Ces mots chargèrent la tête d'Amédée ; il en conclut que les terres de la vallée allaient être réquisitionnées pour l'entreposage de fatras. Comble de la décrépitude ! Ainsi, Port-à-l'Écu deviendrait la poubelle des Blancs. Il se mit à réfléchir sur les conséquences qu'entraînerait la transformation de sa contrée en dépotoir. Personnellement, il n'avait rien contre ces gens de la ville qui voulaient s'enrichir de plus en plus, mais les habitants ne devraient pas faire les frais de leur prospérité.

Dans sa tête, il vit sa terre démantelée. Beaucoup de gens perdraient leur maison, leur grange, leurs tombes. Ceux qui ne sont pas propriétaires perdraient leur louage, leur moyen de subsistance. Ces terres, même dans l'état où elles étaient, représentaient tout notre souffle, toute notre vie. Un jour prochain, le ciel se souviendra de nous, et de nouveau ces terres nous donneront à manger, nous aideront à envoyer nos enfants à l'école. Les réquisitionner pour en faire un dépotoir : ce sont nos marchés, nos moulins, notre commerce, qui seraient à jamais écrasés. De quel côté faudra-t-il alors se tourner ? La ville ? Là, il y avait assez de tracas pour les malheureux. La montagne ? Quelle quantité, quelle qualité de terres y trouverions-nous pour travailler ?

L'heure était donc grave. Le premier réflexe d'Amédée fut de partir immédiatement battre campagne. Il irait dès le lendemain matin faire le tour des habitations, des marchés ; l'après-midi, il visiterait les arènes de combats de coqs et, le soir, les veillées et les péristyles ; il haranguerait, avec ou sans la permission des prêtres et des pasteurs, la foule des fidèles massés sur les perrons des églises et des temples, après la messe ou le culte du dimanche ; il se rendrait au chef-lieu discuter ferme avec le député, le préfet, le magistrat communal, le commandant de la place. Il ferait part à tous les habitants de la région de ses inquiétudes, réveillerait leur ardeur assoupie. Prêcher la résistance, dans ce cas précis, lui incombait, lourde responsabilité.

De tels agissements ne seraient-ils pas immanquablement assimilés à de la révolte ? Dans ce cas la réponse était d'avance connue. Dès que nous, paysans, nous levons la tête pour défendre notre terre contre les voleurs, les pillards, on nous la rabaisse avec un chapelet de coups de bâton. Il suffit que les Américains toussent pour que nous, nous soyons atteints de coqueluche. Ce fait aussi est connu ! Les Américains réclament du café, du sucre, du vétiver ? Voilà les grands nègres en chabraque, pris d'une fièvre qui les pousse à vouloir remplacer, dans nos campagnes, toutes les cultures vivrières. Nous nous sommes rebellés. Il nous est venu de la ville une cavalcade de chevaux alezans, montés par une cavalerie armée jusqu'aux dents, qui a parcouru les mornes, pillant, incendiant les maisons, violant les femmes.

Lorsque la Standard Fruit Company avait décidé de substituer à nos plantations de patates douces, de maïs, de millet, la figue-banane à perte de vue, les chars d'assaut ont saccagé les champs et les lance-flammes, brûlé les cases. Qu'avons-nous fait pour payer un tel tribut d'incendies, de vols, de viols, de massacres ? Et quand aurons-nous fini de payer ? Si vous saviez, monsieur, combien était vert notre village. La végétation était si touffue qu'on ne pouvait passer. Il fallait tailler son chemin à coups de machette.

Amédée m'a dit avoir respiré, ce jour-là, assis sur sa chaise paillée, l'odeur de la mort. Elle rôdait aux alentours. Le désastre du paysage accrochait son regard quand il entendit, venant du ciel, le bruit d'un moteur. Un avion en passant laissait tomber des milliers de feuillets imprimés. Longtemps, dans sa tête, Amédée garda le souvenir de ce jour où le livre avait volé, ses pages métamorphosées en ailes d'anges. Amédée fut saisi d'effroi. Il ouvrit la bouche, voulut pousser un cri d'épouvante ; pas un son ne sortit de sa gorge.

Avant que nos arbres aient brûlé, à l'heure où le crépuscule bruissait du chant des cigales et des grillons, l'ombre s'étendait sur la cime des cannaies et des bananeraies, libérant des senteurs de citronnelle et de jasmin de nuit. Ce jour-là, Amédée mit sa vision sur le compte de la chaleur suffocante et de l'air humide, brûlant, qui enveloppait les mangroves. Il ferma un instant les yeux, pour se déprendre de sa frayeur. Quand il les rouvrit, le mirage n'avait pas disparu. Au contraire, il s'était précisé.

Un ange, glaive au poing, terrassait un caïman

géant, rouge feu. À l'observer, Amédée découvrit une femme. Elle déployait des ailes de pélican, portait un diadème orné de douze étoiles. Sous des apparences différentes, cette femme était déjà venue à son secours, à des moments où il était pris dans des dédales inextricables de difficultés. Aussi, Amédée s'adressa à elle dans un langage familier : « Belle Maîtresse, n'y aura-t-il point de répit pour les pauvres nègres de Guinée ? » Après un court silence, la femme laissa tomber d'une voix émue qui bouleversa Amédée : « L'existence est un arbre ; son feuillage, ses racines, les figures interchangeables d'une éternelle donne. La chute des feuilles est triste, pourtant elle est souvent quête des humidités enfouies, annonce des feuilles à venir, envol. Le temps est arrivé d'abandonner la poussière du pays que tu traînes sous tes sandales. » Avant qu'Amédée ait eu le temps de saisir le sens de ces paroles, une brise en provenance de la mer fit tomber les étoiles du diadème de la femme-pélican, lui gonfla les ailes et l'emporta vers le large.

Amédée crut qu'il rêvait encore à la vue des douze hommes en caracos et pantalons bleu zéphir qui se tenaient debout devant lui. Ils étaient venus en délégation lui présenter une requête. Le message était bref : « Compère Amédée, nous ne descendrons pas vivants de cette croix. Il nous faut battre des ailes, aucun d'entre nous ne possède une expérience de la navigation ; c'est avec vous que nous voulons partir », déclara, sur un ton péremptoire, Derville Dieuseul.

Amédée ne comprit pas tout de suite pourquoi ils devaient partir, quitter le pays où ils étaient nés, devenir une race sans terre. « Des ramiers sauvages ? » Il savait de quoi il parlait, lui qui avait tellement voyagé. La *Zaffra* à Cuba, il connaissait ça ; le creusage du canal de Panama, les massacres de 1936 en République dominicaine, la mer en flammes à Maracalbo, il avait connu tout cela. « Voit-on au-delà la mer bouillir ? », lui demandait-on à chacun de ses retours. « Non mes amis, répétait-il invariablement, elle est pareille à elle-même, partout. » Dieu seul sait s'il avait beaucoup voyagé. Il était encore tout gosse quand son père disparut sans laisser de trace. Sa mère lui avait expliqué qu'il était allé très loin, aux confins de la terre, pour mesurer le poids de la lune ; il reviendrait quand il aurait fait à la lune mille tresses perlées. Mais déjà, il savait que souvent le crabe qui s'éloigne à une trop grande distance de la mer, quelles que soient ses fins secrètes, n'a jamais le temps de revenir. Pourtant, ce jour-là, Amédée, influencé par sa vision, avait changé d'avis. Sa part de territoire, ne l'emporte-t-on pas partout avec soi ? Il n'est pas nécessaire de mourir où l'on est né, d'autant plus qu'un jour, qu'on saute ou qu'on piaffe, toutes les races, toutes les nations finissent par quitter la lumière du soleil.

Amédée et les douze hommes se sont alors regardés et chacun, dans les yeux de l'autre, voyait déjà l'embarquement, le moutonnement des vagues, le vent claquant dans les voiles. Il fallait partir, puisqu'il n'était plus possible de s'agripper à la terre, de protéger leur communauté, d'échapper à mille et une infortunes ; puisqu'ils refusaient, eux, les plus rudes, les plus honorables, les plus orgueilleux, de redevenir esclaves.

II

UN INSOLITE APPEL

NOVEMBRE naissait, glacial. La neige ne tardera plus : une neige d'abord molle, pure. Elle tourbillonnera de vertige dans l'hiver encore vierge. Puis, elle tombera en flocons serrés, drus. Et le froid immobilisera le temps pendant de longs mois, solidifiera l'air, le transformera en masse de glace, pareil à de l'acier refroidi. En tirant derrière elle le lourd battant de la porte de chêne, Leyda fut éblouie par le soleil de novembre qui, à travers les branches encore feuillues des érables, balayait l'asphalte de la rue Oxford. Il brillait de son éclat le plus vif, dans un ciel sans nuages et conservait, pingre, égoïste, toute sa chaleur. Une belle journée pour ramasser les feuilles mortes ! Il n'y en aura plus beaucoup d'autres d'ici la fin de l'automne. Un vent frisquet se leva. Leyda frissonna, resserra frileusement la ceinture de son imperméable, enroula son écharpe autour de son cou. Elle remettra le projet de ramasser les feuilles qui jonchaient la cour. Elle devait vraiment se dépêcher.

Elle avait, jusqu'à une heure fort avancée, fait la grasse matinée, rêvassant, bien au chaud sous son édredon. L'image de Normand, insistante au point de hanter presque toute sa nuit, d'habiter les premières lueurs de l'aube, avait réveillé au creux de ses reins le flux d'un désir enfoui dans les sédiments de sa conscience. En se brossant les dents devant le miroir de la salle de bains, elle fut surprise par l'intensité, la passion même avec laquelle elle s'était observée. Son regard avait d'abord accroché les sillons aux commissures de ses lèvres, puis les saillies de sa joue, ses cils longs et fournis, la courbe régulière de ses sourcils, lacs calmes, sereins, au-dessus des paupières. Du bout d'un index mouillé de salive, elle les avait lissés. Normand se moquait toujours de cette drôle d'habitude. Leyda avait ensuite interrogé ses yeux en amande, d'un noir profond. L'étincelle qui naguère les faisait scintiller s'était éteinte et de petites rides en plissaient les coins.

Pour se voir de profil, elle avait légèrement tourné la tête vers la droite, relevé le menton. La vanité de ces gestes lui apparut. À grands coups de peigne, elle avait alors tassé ses cheveux coiffés à la mode afro. Ses mèches cendrées l'auraient incitée à être raisonnable si jamais il lui prenait la fantaisie d'oublier qu'elle vieillissait. Elle ne pouvait plus se promener, à son âge, les cheveux pareils à une mer crépue, et devait envisager sans délai une coiffure plus sage, plus conforme. Conforme à quoi, en somme ? Elle remettra le projet d'une visite chez la coiffeuse. Elle n'en avait plus le temps.

Dans la chambre, elle avait enfilé machinalement un pull assorti à une jupe de flanelle. Toute coquetterie lui avait paru superflue, ces derniers temps. Elle ne fut pas satisfaite de l'image que lui renvoya la grande psyché, cadeau de Normand pour leur dernier anniversaire de mariage. Ce miroir taillé, dans son cadre de noyer chargé de volutes, avait enrichi la collection d'objets anciens dont Normand était amoureux. Il pouvait passer des heures à lécher les vitrines des antiquaires, comme un gamin affamé la devanture d'une pâtisserie. Il aimait s'attarder dans les boutiques juives de la rue Notre-Dame, où commode rustique, lit chippendale, chaise victorienne font la sourde oreille au tintement déglingué des horloges anciennes. Le dimanche, il adorait flâner dans les marchés aux puces de la ville. Dénicher le tapis, le fauteuil, la table gigogne ! En hâte, Leyda s'était déshabillée et avait choisi une robe en crêpe de laine bleu-gris au col montant, dont la jupe tombait jusqu'à mi-mollets, en plis souples.

Elle attendait à déjeuner une jeune femme qu'elle ne connaissait pas. Elle n'en avait jamais entendu parler, jusqu'à ce jour où, au téléphone, avec un accent latin fort prononcé, elle lui dit s'appeler Amparo Doukara et qu'elle voulait avoir avec elle une longue conversation au sujet de Normand, la suppliant presque de la rencontrer. Leyda avait répondu avec beaucoup de réticences à cette intruse. Elle savait que souvent les vivants s'acharnent sur les morts d'un acharnement meurtrier, l'envers de ce que s'efforce de voiler la rhétorique de l'éloge funèbre.

À cette jeune femme qui lui téléphonait, elle avait répondu donc, un tantinet agacée, qu'elle ne pouvait la rencontrer. Elle n'était guère riche en temps, ses journées occupées, toutes ses soirées engagées. Amparo insista. Leyda accepta finalement de la recevoir le vendredi de la semaine suivante ; son agenda indiquait qu'elle serait libre tout l'après-midi. Elle l'avait conviée à déjeuner.

Leyda tourna à gauche dans la rue Sherbrooke. Malgré la fraîcheur du fond de l'air, sur un banc en face du Old Orchard Ice Cream, près du bivouac de l'arrêt de l'autobus, deux anciennes belles, mûres, sophistiquées, une fausse blonde et une rousse décrépite, jacassaient. Elles ont dû incendier, au midi du siècle, avec leurs toilettes impudiques, leurs maquillages outrés, leurs chevelures teintes, les regards blasés de machos impuissants, clients assidus des boîtes de striptease logées sur la Catherine. Maintenant, elles regardent passer les voitures. La rousse tient en laisse un chien qui lève une patte contre le tronc du réverbère. D'une voix chevrotante, elle raconte : « Sam et moi n'avons jamais voulu avoir d'enfants. Avant Bobby, on a eu Wess et avant... » Leyda voulut traverser ; la circulation battait franchement, sans raté ni embolie. Machinalement, elle continua à écouter la conversation des deux femmes et sut que Bobby n'était autre que ce lévrier arabe qui tournait autour du lampadaire. De toute sa chienne de vie il n'aura reniflé un terrier, ne fréquentera que ce trottoir de la rue Sherbrooke. Par contre, Bobby a ses anniversaires, ses jouets, son imperméable et même sa brosse à dents. Il va chaque mois chez le coiffeur, on le prend au lit le soir, on est soucieux de son confort, on piste ses états d'âme. Bobby, cerbère métamorphosé en toutou de salon, continuait à se soulager sans pudeur au pied du lampadaire.

Leyda attendit patiemment que le feu à l'angle tourne au vert. Elle franchit la chaussée et s'engagea dans une des allées du parc. Le sol jonché de feuilles crissa sous ses pas. Dans cet enclos ceinturé de bouleaux, le contraste des couleurs saisit l'œil : rouge vif des érables, jaune mordoré des peupliers, vert à contretemps des conifères insolents sous des morceaux de ciel troué de lumière. Carrés de sable, glissoires, terrains de baseball lestés des clameurs de la veille, sont surveillés par des moineaux sceptiques, silencieux, perchés sur des balançoires immobiles. Récemment, ce parc avait été le théâtre de conflits violents entre des jeunes Noirs qui habitaient la plupart en contrebas de la rue Sherbrooke, au sud, et des adolescents juifs logés en majorité au nord. Depuis, il est devenu un lieu frontière, un point de démarcation, une ligne de fracture entre deux solitudes. Au beffroi de l'église Sainte-Augustine, onze heures sonnèrent. Leyda pressa le pas. Elle contourna le petit kiosque vivement coloré, vestige du dernier carnaval antillais. Le quartier avait résonné de rythmes endiablés, de spectacles insolites, de liesses souveraines. Leyda gardait en mémoire l'image de toutes couleurs de peaux se côtoyant dans une débauche de costumes bigarrés, une foule riant haut et fort, une horde de corps que des coulées de sueur font luire au soleil ; cette partie de la ville devenue soudain folle : lumières éblouissantes, sirènes, gyrophares, voitures et autobus immobilisés, leurs passagers pris au piège ; des gens partout, dans la rue, sur les trottoirs, aux fenêtres, dans les allées, sur le gazon. Et l'on tape sur tout ce qui peut résonner : bouteilles vides, casseroles ébréchées, vieux bidons d'essence, *steelbands* d'un jour ; une cacophonie, du bruit qui soudain devient rythmes, méringue, reggae, calypso, rabordaille, rythmes célèbres qui, après avoir fait le tour du monde, échouaient là, dans ce parc de Notre-Dame-de-Grâce, incitant à des déhanchements, des assauts de fantaisie. Et l'on voit passer des bipèdes obscènes sur des plates-formes mobiles, défilé de couples mimant des scènes d'accouplement, royaume de testicules, de phallus aux proportions gigantesques, assoiffés de fentes, de trous, de fourreaux, un coup pour toi, un coup pour moi, masques, rubans de dentelle, serpentins qui deviennent cerceaux emmêlés, démêlés, cercles de femmes, femmes-libellules, femmes-tortues, femmes-lézards. Et les odeurs ! Des matrones, plantes plantureuses aux yeux rouges de plusieurs veilles de laborieuses préparations, plantes parvenues à maturité sans que l'on puisse en préciser l'âge, distribuent victuailles et rafraîchissements : sandwiches à l'avocat, pâtés relevés de poivre, d'ail, de piment, de clou de girofle ; des punchs exotiques, bouquets de cannelle, de basilic, de muscade, de vanille, de fruits de la passion : irruption de la Caraïbe des origines ; pulsions sauvages de la violence lascive des tropiques, tout cela vibrait sous le regard médusé des archéo-Québécois qui auraient pris panique, n'était la présence massive et rassurante de la flicaille prête à toute éventualité.

Devant le Collins Funeral, un petit attroupement près d'un corbillard. Leyda reconnaît le chauffeur : le même qu'aux funérailles de Normand. Les amis avaient pensé qu'après la cérémonie, une femme meurtrie, défaite, s'installerait dans la maison de la rue Oxford, qu'elle se murerait, se cloîtrerait avec le mort pour convive. Seulement, Leyda est une lionne, un cheval afghan de combat. Elle appartient à cette race pour qui l'expression, l'exhibition de la douleur est humiliante. Aussi la tenait-elle secrète, voilée par un silence qui masquait une blessure indicible, innommable. La mort de Normand l'avait transformée en crypte habitée par un cadavre : dedans, elle était meurtrie, paralysée. Dehors, le visage impassible, elle se livrait à ses activités coutumières. Avec les décombres, les restes de son bonheur massacré, perdu, elle avait fabriqué un monument inébranlable, une figure empruntée au temps des légendes.

À la ferme Esposito elle acheta des légumes, des fruits frais et deux dorades pour le déjeuner. Revenant rue Oxford, une Renault cinq, rouge vif, s'arrêta en face de chez elle. Une jeune femme en descendit. Les quelques pas qu'elle fit pour traverser la rue montrèrent un port altier. Le rythme des hanches cadençait une jupe de denim brodée tango, largement évasée. Leyda reconnut tout de suite une de ces femmes qui très tôt ont appris à être vues, à exister pour le regard de l'autre, regard qui avait forgé sa posture, la cambrure même de son corps. Quand elle leva le pied pour prendre le trottoir, Leyda aperçut des jambes parfaitement galbées, au-dessus de talons aiguilles, qui sonnaient avec fierté et détermination. Bien qu'elle ne l'ait jamais vue auparavant, Leyda sut, de façon indubitable, qu'il s'agissait d'Amparo.

*

À la porte du salon, Leyda s'était effacée pour laisser entrer Amparo. À peine assise, la jeune femme se mit à parler, à grands flux drus. Installée à l'autre bout du canapé, en vis-à-vis, Leyda l'écoutait, l'examinant attentivement.

Dans un visage poupin, empourpré par le vent d'automne, un regard franc, éclatant. Au jugé, Leyda lui donnait trente-cinq ans, un peu plus, un peu moins. En parlant, elle avait une façon de retrousser sa lèvre supérieure qui donnait à sa bouche un air de sensualité goulue.

Elle s'appelle Amparo Doukara. Elle est cubaine. Non, à la vérité, elle est fille de Syriens émigrés à La Havane il y a de cela deux générations. Elle vit au Canada depuis une dizaine d'années. Ses parents habitent Manhattan. Son père, autrefois dentiste, n'exerce plus. À son arrivée aux États-Unis, devant une improbable réinsertion dans sa profession, il s'était reconverti dans le commerce. Son établissement tient à la fois du bar, du restaurant, de la boîte de nuit, lieu de rendez-vous des paumés, des nostalgiques, qui viennent là tous les soirs, écouter, danser le tango.

Il n'y avait là rien d'étonnant : le tango condense, synthétise la mélancolie, l'exil, la tristesse qui se danse, sanglot mué en un grand éclat de rythme à deux temps. En Amérique latine, le tango reste affaire de lupanars. Alliant maîtrise et abandon, hystérie et langueur, il est d'abord convulsion, spasme, et l'instant d'après, soupir.

Danse violente de l'enracinement, danse qui rappelle l'âcre accent des faubourgs, chair confondue, défi de machos querelleurs, « *Vamos nina* » ; jactance provocatrice de viveurs, de gens de couteau, le tango est aussi cantique de l'errance, psaume de l'absence, gémissements, plaintes de l'amant délaissé « *Una balada para un loco* ». Il dit le temps fugace, irréversible.

Amparo avait résumé en ces termes l'histoire plus ou moins authentique du tango. Celle que tout le monde connaît. Pour parler de son père, la jeune femme esquissa une moue de dédain : elle ne lui pardonne pas d'avoir laissé Cuba. À Vancouver où elle habite, elle fréquente les eaux de l'émigration latino-américaine. Elle a vécu quelques années avec un Chilien retourné récemment à Santiago. Depuis, elle tourne en rond : pétitions pour le Nicaragua, meetings sur le racisme, manifestations contre les marchands de logements, colloques contre l'utilisation des armes nucléaires. Elle paraît très affairée ; en fait, elle tourne en rond.

Leyda a offert l'apéritif. En passant, elle mit un disque sur le plateau du phonographe, un enregistrement de *La Nuit transfigurée* de Schönberg. Les accords tamisés du premier mouvement de la symphonie s'élevèrent au moment où Amparo reprit la parole.

Longtemps, elle avait été hantée par le désir de revoir Cuba, revoir l'île de la canne à sucre et du pachanga, revoir ses camarades de classe qu'elle n'arrivait pas à imaginer adultes. Ces silhouettes semblablement vêtues d'une jupe marine plissée et d'un surtout de coton blanc, les cheveux sagement tressés, retenus par des rubans, qu'étaient-elles devenues ?

Le Cuba auquel elle se référait était un pays lointain, irréel, onirique. Cuba à travers les brumes des réminiscences d'une fillette. Elle regardait un rivage oublié, situé au-delà de l'horizon. Elle regardait au loin, en direction de son île et elle se demandait quand elle pourrait la revoir.

Amparo a fermé les yeux. Les notes de la symphonie de Schönberg se déploient avec pureté, équilibre entre tensions et détentes, combinaison cadentielle d'accords. Après un moment de silence, Amparo ouvrit les paupières et dit d'une voix légèrement enrouée : « Il y aura bientôt deux ans, je suis retournée à Cuba. »

Le souvenir qu'elle a conservé de La Havane, c'est celui d'une fête foraine : le bourdonnement des guitares, la foule, les flâneries, la paresse des tropiques, la vie des rues mêlée à la vie des boutiques, une rumeur de ruche, La Havane illimitée, éclatante de blancheur et mangée de soleil, dans une ambiance virevoltante d'osselets, de hamacs, de cerceaux, le Malecon où les soirs avares de fraîcheur, cent et cent automobiles baladaient Havanais et Havanaises. La Havane de l'enfance, la chasse aux papillons dans les jardins de Vedado, flots féeriques, poissons fabuleux, quatorze variétés de mangues mûres à point, une exposition permanente de meubles démesurés, de statues, d'angelots potelés, joufflus, massés dans les parcs et jardins publics ou alignés à l'infini sur les façades de pierre ; et la *danson,* que les filles plus âgées qu'elle dansaient en robe de tarlatane, la lumière des tropiques dans les yeux ; elle se souvient qu'au moment de la pause de l'orchestre, les femmes échappaient à l'emprise de leurs cavaliers et regagnaient les fauteuils à bascule ; le repos lui-même refusait l'immobilité.

Quand elle y était retournée, la ville sentait le *cani*, une odeur de pourri en suspens dans l'air. Les pierres des statues s'étaient effritées. Tout tenait encore sur pied, très vieux, très fatigué. Le cinéma Habana avait fermé, le Palacio Cuerto, fermé aussi. Qu'étaient devenus les parterres de magnolias, de violettes, d'orchidées toujours en fleurs ? Même le plat de riz aux haricots noirs, *le moros y cristianos*, n'avait plus le même goût. Le long du Malecon, la mer poisseuse battait encore lentement les rochers. Les cargos-mirages, au large, cependant, avaient disparu.

Elle avait marché dans l'ombre des maisons de Vedado, de Miramar, d'Almendare : les rideaux ne volaient plus au vent et les hélices quadripales des ventilateurs encastrés dans les fenêtres étaient rouillées. Elle n'avait pas retrouvé la ville de son enfance. La Havane semblait avoir aboli le calendrier dans l'extase de la victoire révolutionnaire.

À partir de là et tout le reste de son séjour, elle avait traîné. La Bodeguita del medio lui avait offert ses *mojitos* : deux onces de rhum, une demi-cuillerée de sucre, un doigt de jus de citron, une feuille de menthe, de la glace concassée. Titubant presque, dans la moiteur et l'ombre tropicales, elle ira, la nuit tombée, voir le dernier show du Tropicana, *el cabaret màs fabuloso del mundo*. Les beautés noires en jabot de dentelle blanche, yeux effilés de gazelles, femmes lumineuses dans les arbres, ondulaient, vertes, bleues, jaunes, sous les projecteurs ; et loin au-dessus d'elles, un manège d'étoiles embuées dans les nuages d'un autre âge, d'un autre siècle. Dans ce paradis de l'artifice, même la voûte céleste dansait.

Son séjour à la Havane : une grande déchirure, une douleur intense. Si elle était restée plus longtemps, peut-être aurait-elle découvert, derrière ce nouveau masque, le visage secret, intime, préservé de la ville longtemps imaginée. Elle n'avait eu qu'une semaine. Cela avait suffi pour constater que la magie avait quitté sa ville. Amparo fixa sur Leyda un regard mouillé : « Jamais plus je ne pourrai vivre à La Havane. »

À son retour de Cuba, elle avait rencontré Normand à l'aéroport de Miami. Elle était en avance de deux semaines sur la date d'un rendez-vous dont Felippe, son amant chilien et elle, avaient convenu. Économiste de profession, il devait participer à un colloque sur l'Amérique latine. Il n'était jamais venu.

Leyda ne pouvait s'empêcher de trouver la jeune femme sympathique. Son désarroi la touchait. La souffrance d'Amparo, Leyda la connaissait, elle qui vivait en connivence permanente avec la brûlure de l'absence. Elle comprenait cette parole blessée car les lieux de l'enfance perdent leur aura de magie quand on y revient à l'âge adulte, et d'expérience, elle savait qu'une solitude nommée laisse moins seule, si les mots réussissent à s'infiltrer dans l'espace du silence, si on trouve une écoute attentive.

*

Ce que Leyda croyait être une écoute attentive, n'était que l'expression de ses propres malaises, de ses propres trous noirs qu'elle refusait d'exhiber. Cette résonance affective, elle en ignorait la signification profonde. Ne sommes-nous pas des survivants, des morts vivants, des cadavres en sursis, abritant des Hiroshima privés ?

Que venait faire Amparo chez Leyda ? Pourquoi avait-elle accepté de recevoir la jeune femme chez elle ? Soit ! Amparo avait partagé les derniers jours de Normand. En cela cette rencontre revêtait quelque intérêt pour Leyda. S'était-elle un seul instant douté qu'Amparo, aveugle d'avenir, ravagée de passé, allait, défiant les règles et les bornes des conventions, l'entraîner dans une partie décisive, la soulever de frissons, bouleverser le cours de cette vie que, depuis la mort de Normand elle s'était acharnée à reconstruire selon une image qu'elle s'en était faite, que tout cela rallumerait son sang ?

Ces questions, je me les suis longtemps posées jusqu'au jour où m'est venu — à ce moment précis de ce récit que je me racontais pour la énième fois — ce cri que lançait Kierkegaard à la fin de *Crainte et Tremblement* : « Il faut aller au-delà ! » Au-delà de quoi ? Est-ce au-delà des apparences, au-delà de ce qui semble être la vie, la vérité de l'être ? Le philosophe fonde son exclamation sur l'histoire de l'obscur Héraclite et de son fidèle disciple. Un jour, le maître pour qui les pensées avaient été l'armature de sa vie, ayant fini de se baigner dans un grand fleuve, s'était retourné pour contempler l'écoulement irréversible des eaux. Il dit alors à son disciple : « L'on ne peut entrer deux fois dans le même fleuve. » Le disciple réfléchit quelques instants puis répondit : « Maître, on ne le peut même pas une fois. »

En se rapprochant d'Amparo, Leyda s'était interrogée sur les rapports qui avaient pu exister entre Normand et cette femme si différente des gens qu'elle avait eu l'habitude de le voir fréquenter et, ce qu'elle ne s'avouait pas, si différente d'elle, Leyda. Il faut aller au-delà. Sa vision de Normand, gelée, niait le mouvement à l'encontre de la réflexion du disciple d'Héraclite. On le sait maintenant, le disciple ne désirait rien d'autre qu'être un disciple ; donc aller plus avant que le maître, ne pas retourner sur ce qu'Héraclite avait abandonné : il faut toujours aller plus loin, creuser plus profondément, jusqu'à trouver la couche enfouie, le point où se terre le secret des lentes germinations. Alors, l'apparente verdoyance du monde s'explique. Il faut traverser l'obscurité des mots usés pour en atteindre la racine ; pénétrer par effraction codes, tabous, pour retrouver la motivation. Il faut aller vraiment au-delà. La visite d'Amparo apportait une autre dimension de Normand.

Cette histoire, je peux la raconter dans ses moindres détails aujourd'hui que j'en ai recollé tous les morceaux, que les zones d'ombre se sont éclaircies, que je crois avoir décelé sous les mots les attitudes des protagonistes, les motifs et les mobiles qui les ont actionnés.

À l'image du souffleur qui, de son trou, voit les acteurs en scène et peut rendre compte de leurs omissions, de leurs ajouts et de leurs retraits, de cette partition à plusieurs voix, je sais tous les rôles. Je peux m'en faire l'écho. Normand et moi nous nous connaissions depuis l'enfance, j'ai toujours vécu ses amours tumultueuses. Amparo, je ne l'avais jamais vue ; il y a une dizaine d'années,

Normand m'en avait parlé : une insolite rencontre, un été, à Ottawa. Elle venait de Vancouver et avait accepté, en guise de vacances, un emploi d'étudiante dans la capitale canadienne.

La première fois qu'elle lui fut présentée, le soleil diffusait, dans la crasse blême d'un après-midi d'été pourri, une lumière ocre. Amparo avait un air d'oiseau blessé. Normand avait eu la sensation que ce n'était pas la première fois qu'ils se rencontraient. Ce visage, il semblait le connaître de longue date et s'en souvenir ; elle et lui avaient déjà, ensemble, vécu mille vies, visité mille planètes, parcouru mille plateaux. La sensation était si agréable que Normand ne voulut pas brusquer la rencontre ; il voulut la vivre à son rythme, persuadé qu'il y a un rythme dans les relations humaines, qu'il ne sert à rien de les bousculer, qu'il suffit de les vivre, naturellement. Une nuit, Normand et elle ont marché pendant des heures dans le parc Gatineau et au petit matin, ils ont convenu de se séparer, sans marques, sans larmes, sans blessures.

Quand je fais le lien avec cet épisode que m'avait raconté Normand, j'ai l'impression qu'Amparo et lui avaient surtout évité que naisse entre eux une passion qui les aurait enchaînés, torturés, dévorés. Normand et Amparo étaient rivetés chacun à sa vie qu'ils ne pouvaient ni ne voulaient chambouler. Il est de ces êtres qui croient à la beauté et à la vérité de leur attirance.

Ils n'appartiennent pas à la race des amants qui se laissent aller à de fausses passions, des amours par intérim. Ils sont incapables d'être doubles ou triples, de vivre des culpabilités multiples, de se contenter de rencontres brèves, aléatoires, volées à la trivialité du quotidien. Ils ne veulent surtout pas tromper leurs désirs, comme on trompe sa faim. Dans l'aube lointaine, Normand et Amparo avaient pris acte qu'ils n'étaient pas disposés à vivre un amour de catacombe, avec des autels secrets enfouis au fond de leur cœur. Elle était repartie pour Vancouver et lui pour Montréal

III

VENTS POUR MIAMI

AMÉDÉE avait passé beaucoup plus de temps qu'à l'accoutumée assis sur sa chaise paillée adossée au tronc du cocotier. Quand il revint sous le péristyle, le soleil, depuis longtemps déjà, avait rencontré la mer et l'avait ensanglantée d'un long baiser de feu. Les veilleuses du rogatoire avaient brûlé toute leur huile de palme.

Avec des fagots d'épineux, de campêche, des brindilles d'herbes sèches, j'avais allumé le feu pour le repas du soir : des sardes ramenées du grand large par les pêcheurs, de l'igname, des épinards, du riz blanc et des pois en sauce. Amédée sortit de la poche de sa vareuse un étui de cuir usé. De deux doigts de la main droite, il prit une pincée de poudre ; rejetant la tête en arrière d'un mouvement sec, il aspira bruyamment. Malgré des efforts désespérés, il ne parvint pas à libérer ses sinus. « Quel pays, dit-il, où le tabac est de si mauvaise qualité qu'on n'arrive pas à éternuer. » Il referma la tabatière, la glissa dans sa poche. « Dis plutôt que tu es devenu si radin que tu manges même tes éternuements. »

Amédée ne répondit pas. Se penchant, il saisit une braise pour allumer le cigare qu'il avait tourné, après l'avoir soigneusement mouillé de salive. « Femme, le pays de nos joies est devenu celui de nos souffrances. La mort rapine de tous côtés, le sang maraude dans les parages ; bientôt, il recouvrira même les pierres. Femme, il nous faut partir. » Je n'en croyais pas mes oreilles. « Partir, Amédée ? Partir ? Pour aller où ? Je parlais sur un ton railleur, en effectuant des pirouettes sur l'air d'une chansonnette en vogue : « Tel est l'amour des matelots… oui, oui mon capitaine. »

Je m'arrêtai pour regarder Amédée ; l'expression de son visage découragea toute moquerie. « S'il te plaît, femme, supplia-t-il, je n'ai pas le cœur à plaisanter. Je ne m'attendais pas à ce que tu pousses des cris de joie, fille de Kadmon, je ne m'attendais pas à ce que tu exultes de toutes tes forces, je ne m'attendais pas à ce que tu ramasses tes cliques et tes claques, gazelle en route vers de nouveaux pâturages. Ici, nous sommes claquemurés. J'en ai assez d'attendre une hypothétique pluie, une ondée, juste assez pour que le maïs s'épanouisse et que l'herbe repousse, drue.

Barrons-nous puisqu'il le faut pour échapper à ce pétrin, accéder à une autre vie. Ici, je ne vois pas l'ombre du jour où nous pourrons, encore une fois, poser la joue sur une taie d'oreiller fraîche, faire trembler dans un verre l'eau pure aussi transparente qu'un matin sans nuage, aussi douce qu'un air de boléro. Je ne vois pas poindre l'aube du jour où nous pourrons dormir en paix, nous réveiller, nous laver à grande eau, accrocher un œillet à la boutonnière, sans nous inquiéter de ce qu'il adviendra de demain. Nous partirons, nous marcherons dans les traces de Tyrésias. On dit qu'en moins de six mois, il a pu se construire un palais, amonceler autant d'argent qu'il y a de poussière sur notre garde-manger. On dit que là-bas, l'argent ce n'est pas ce qui manque ; il pullule, on en trouve même dans les mottes sèches des champs. Il nous faut abandonner une terre qui ne nous donne plus ni vivres pour apaiser notre faim, ni herbes pour nourrir notre bétail. Il en sera donc ainsi, Brigitte Kadmon Hosange. Je n'envisage pas un départ sans espoir de retour. Notre absence ne sera que provisoire. Nous reviendrons relever la tombe de nos ancêtres, donner à manger à nos morts et à nos loas. »

Amédée débitait ces mots, l'œil absent. Il ne m'entendit pas quand je lui murmurai : « Descends de l'avion, Amédée, reviens à Port-à-l'Écu ! » Ce n'était d'ailleurs qu'un dernier sursaut de ma part. Je croyais dur comme fer, et

Amédée le savait, que cette terre sous nos pieds était ce qu'il y avait de plus solide. On est d'ici, pas d'ailleurs, même prisonniers — comment disait-il déjà ? —, claquemurés, dans cette baie de ronces et de bayarondes. J'étais persuadée que le plus beau pays du monde était celui où les rues sont pavoisées de sourires, où les maisons sont identifiées par des prénoms de connaissances, où les arbres recèlent le nombril d'êtres chers, où le vent prend la voix de l'être aimé, doux bruit de la brindille cassée au tuyau de l'oreille.

Je vous l'ai déjà dit, monsieur, ce vieux rat d'Amédée excellait dans l'art de parler aux femmes. Les mots d'Amédée me suffisaient pour composer avec la vie. J'ai toujours été convaincue que notre amour n'était pas fortuit, qu'il préexistait à notre rencontre. Partir, s'en aller ? Oui, nous allions le faire, soudés que nous étions Amédée et moi, par les liens solides d'une affection à notre pointure. Oui, nous partirions car il était impossible de donner à notre terre et à la vie leur poids de saveur et de sens, alors que chaque jour qui s'écoule dépose en nous des grains d'éternité.

Voyez-vous, monsieur, nous, gens de la campagne, gens d'en dehors, nom dont nous affublent les gens de ville, nous n'avons pas la parole pour nous. Si nous l'avions, nous dirions, sans colère, sans excès, que ce pays, nous le faisons, dans chaque coteau, chaque ravin drainé, chaque sillon labouré, pendant que d'autres le négocient à bas prix, à perte, pour leur profit. Partir loin, si loin, ce n'était même plus un choix.

Il y avait l'île, il y avait la mer. Les habitants de Port-à-l'Écu vivaient sur la côte. Que savaient-ils du monde ? Que savaient-ils des autres contrées de la terre, du temps qu'il y faisait ? Que savaient-ils de la vie au-delà de la plaine ? Ils n'en avaient entendu que des échos ; une musique à la radio, des vrombissements sur la grande route, assourdissants parfois. La grande route, là-haut, d'où leur venait souvent la mort. Deux coups de feu, la veille du mercredi des Cendres : Joseph Jean-Louis, le frère d'Odanis, abattu, le corps disloqué, jeté sur l'asphalte, le fils de Noelzina, Nicolas, un bambin de huit ans, un dimanche, littéralement projeté contre le grand mapou par une jeep *Pajero* qui ne s'est même pas arrêtée. Que savaient-ils de la vie en dehors de Port-à-l'Écu, sans autre limite que l'horizon ? Il leur était difficile d'imaginer le monde construit autrement qu'à l'image de cette file de maisonnettes, dominées par l'édifice jaune de la caserne. Ils appelaient ça le village. Ils ne pouvaient pas imaginer un univers autre que cette immensité poussiéreuse, ce ciel sans espoir, cette mer toujours recommencée. La plupart ne s'étaient jamais déplacés, trop occupés à sarcler cette mauvaise herbe sans cesse arrachée, repoussant sans cesse. Ils vivaient de rumeurs et de légendes, avec à leurs pieds la mer.

Des têtes de paysans et de paysannes, le visage

précocement vieilli, empreint de la nostalgie de leurs champs, au temps où la terre donnait et n'était pas cet amas de poussière avare ; des bouches ordinairement taciturnes, méfiantes, renfermées. Accroupi sous le péristyle, ils discutaient. « Il va falloir aller regarder de l'autre côté de la ligne d'horizon », dit Adélia Datilus en étirant son corps dru de campagnarde. Adélia Datilus, une voix rauque à force d'avoir étouffé ses cris ; une femme debout, vaillante en dépit des cyclones, des tremblements de terre, des morts, morts pour rien.

Elle avait déménagé à Port-à-l'Écu, le lendemain du jour où, à la suite d'une battue pour retrouver des rebelles infiltrés, disait-on dans la région de Jean Rabel, les miliciens avaient regroupé, sur la place, devant l'église, les femmes et les enfants, les avaient laissés au soleil, sans eau ni nourriture. À midi, après avoir martyrisé les hommes à la caserne, ils les firent sortir sur la place, en exécutèrent quelques-uns, à la machette, pour délier la langue des autres. Voir les blessures qui couvraient les corps des morts et des agonisants était un spectacle d'horreur et d'épouvante qu'Adélia ne put supporter. Satan avait procuré aux miliciens des pierres meulières pour aiguiser leurs machettes. Ainsi, ils pouvaient fendre un homme par le milieu, d'une seule taillade. De même que les bouchers coupent la chair des bœufs et des cabris, pour la mettre en vente sur leurs étals, les miliciens, d'un seul coup, tranchaient à celui-ci le train arrière, à celui-là les mains, à cet autre, la langue, l'épaule, la cuisse. Celui qui est tombé sur Télusma Datilus, le mari d'Adélia, lui a ouvert d'un coup la poitrine ; il en a sorti le cœur. Adélia ne sut jamais ce qu'il fit du cœur de son mari. L'avait-il mangé ou l'avait-il emporté ? Pourquoi ?

« Je veux quitter ce pays d'immondices, d'égouts à ciel ouvert, de crottes ; je veux quitter ce pays où les sentes boueuses empestent l'urine rancie ; je veux m'en aller loin des aisselles et des vagins qui n'ont plus mémoire d'eau claire. Je veux quitter ce nid de vermines où blattes, tiques, morpions, punaises, maringouins mâles et femelles font la loi. Je veux échapper à la malaria, au pian, au choléra. Ah ! Seigneur ! Échapper aux griffes des tigres, ne plus patauger dans cette plaie grouillante de vers, cette gangrène, cette gonorrhée chronique. Un pays, ça ? Pays mon cul ! Il faudrait vivre le nez pincé, tant ça fouette, tant ça schlingue. Quatre siècles de mauvais air, de mauvaises races, de mauvaises nations… »

La litanie menaçait d'être interminable. Odanis Jean-Louis intervint pour tenter d'y couper court : « L'entreprise n'est pas facile. Qu'on pense à ce qui est arrivé à Noelzina et à moi. Deux fois nous avons tenté, deux fois nous avons échoué. La première fois, nous étions embarqués sur une goélette sans boussole qui a erré pendant trois jours. Le vent que le capitaine prédisait favorable n'a pas daigné chanter dans les gréements à peine tendus. Trois jours à entendre l'inlassable grondement de la mer pour finir par échouer à une journée et demie de marche d'ici. » Odanis semblait s'adresser exclusivement à Adélia, tentant de la convaincre de la difficulté du projet. Celle-ci continuait à marmonner : « Partir, changer d'air, de rythme, de sons ! Partir, oublier la natte à même la terre battue ! Partir ! Échapper à cette pesanteur qui nous crucifie ! » Les lampes à pétrole accrochées aux poteaux du péristyle diffusaient leurs lueurs tremblotantes et donnaient une teinte cuivrée à l'assemblée. Odanis lui coupa de nouveau la parole : « Une semaine plus tard, Noelzina et moi, nous prenions un autre voilier. Toute une comédie, le départ dans la nuit ! Pour déjouer la vigilance des miliciens campés à l'avant-poste, à l'entrée de Port-à-l'Écu, il fallait s'envelopper dans un drap blanc, enduire son visage de farine, accepter d'être battus, attachés au bout d'une corde, tenus en laisse pour donner l'impression d'une colonne de morts vivants, revenant tout droit du cimetière. Poltron enterre sa mère, dit le proverbe. Les miliciens, dès qu'ils nous virent déboucher au carrefour, ont pris leurs jambes à leur cou, en criant « Des zombis ! Des zombis ! » Il nous a fallu ramper dans les mangliers, tailler notre passage dans les bayahondes infestées de moustiques, bondées de piquants. Finalement, nous avons réussi ; atteindre la grève, en plein avant jour.

« Debout sur le pont d'une coque en bois brun, mitée par le temps, un type qui se disait le capitaine du bateau nous attendait. Il y avait plein de gens à bord : des hommes, des femmes, l'une d'elles enceinte, des adolescents et même des vieillards. Il y avait tant de gens à bord que la coque était aux trois-quarts enfoncée dans l'eau ; tant de chrétiens vivants entassés les uns sur les autres que j'étais persuadé d'être à la merci de la première grosse vague. Le vent était au rendez-vous, des rafales qui soulevaient des vagues plus hautes que le bois d'orme au bord du grand chemin. Nous étions ballottés par des coups de roulis. Rien ne nous aura été épargné : nausées, vomissements, diarrhées. Le capitaine disait que ces symptômes très courants n'étaient pas ceux d'une maladie ; ils caractérisaient simplement le mal de mer. Au bout de trois jours, certains d'entre nous avaient les yeux hagards, le corps recouvert d'une croûte opaque faite de fatigue, de manque de sommeil, de sel, de coups de soleil.

« L'après-midi de ce troisième jour, nous fûmes attaqués par des hommes, des miliciens que nous avions d'abord pris pour des pêcheurs. Ils ont pillé nos vivres, raflé biens et argent, puis nous ont ramenés sous corde, à Port-de-Paix. De là, nous fûmes transférés à Port-au-Prince, au Fort Dimanche. Il nous a fallu attendre trois mois avant d'être traduits devant les tribunaux. Le juge nous a condamnés à mille dollars d'amende ou à six mois d'emprisonnement. En bradant ma terre, j'ai pu payer ; Noelzina, elle, a choisi de demeurer en prison. Tout porte à croire que l'armateur était de mèche avec les miliciens puisqu'il n'a jamais été inquiété.

« Pourriez-vous imaginer, monsieur, que des choses pareilles puissent encore arriver à notre époque ? Ces histoires de pirates, de flibustiers et de forbans, on les pensait enfouies dans les profondeurs de la mémoire, et voilà qu'elles avaient resurgi pour hanter nos nuits. »

L'assemblée, souffle coupé, était suspendue aux lèvres d'Odanis. Pourtant, ils connaissaient déjà ce récit dans ses moindres détails. Cette fois, il prenait une dimension nouvelle.

Derville Dieuseul, mince silhouette légèrement voûtée, les pieds plantés dans la poussière, bras croisés derrière le dos, regardait fixement les collines. Elles couraient à perte de vue sous la lumière blafarde de la lune. « Nous ne pouvons continuer à nous faire escroquer de la sorte, opina-t-il. Il nous faudra construire notre propre bateau. Cela ne doit pas être compliqué. Avec une escouade, épaule contre épaule, on devrait y parvenir. » Assise dans un coin, j'assistais, sceptique, à ces discussions, sans y participer. Se serrer les coudes, s'organiser, construire notre propre voilier. Pourquoi pas ? Philéus Corvolan, pasteur et maître d'école, le visage empreint de cette indomptable énergie avec laquelle il organisait, presque sans moyens, les activités de son culte, l'enseignement à une cinquantaine de garçons et filles entre huit et quinze ans, la cantine scolaire, intervint avec sagesse : « Si on entreprend cette aventure, en aucun cas, il ne faudrait échouer. Comment voyager sans l'aide de tout cet équipement impressionnant dont disposent les vrais marins : sextant, compas, boussole, radio, cartes ? Comment échapper aux flottes américaines qui patrouillent les eaux pour barrer tout passage ? Au fond, ce qui vous est arrivé, à toi, Odanis, et à Noelzina, n'était qu'un moindre mal. L'Éternel est vraiment votre berger. Sur ce frêle esquif la première fois, sur ce bateau esquinté que tu nous as décrit, la seconde fois, vous ne seriez jamais arrivés à Miami, d'autant plus que personne parmi vous n'avait l'expérience de la navigation. »

Odanis tira de sa pipe coincée entre ses dents, qu'il n'enlevait jamais pour parler, quelques bouffées malodorantes. Cet échec l'avait profondément marqué. Ce soir-là encore, il avait peur ; on pouvait le deviner au mouvement de ses mains qu'il croisait et décroisait. Il regardait sans ciller le tronc du bois d'orme. Les mots qu'il s'apprêtait à prononcer étaient-ils gravés dans l'écorce rugueuse ? « Nous aurions dû, Noelzina et moi, refuser d'embarquer ; habités par un sentiment de fatalité, nous étions convaincus qu'il ne fallait pas revenir à Port-à-l'Écu. Nous étions allés trop loin. Quand certaines frontières sont franchies, la seule attitude correcte est l'affrontement de l'inconnu. Vous avez raison, maître Philéus, nous n'aurions pas survécu aux conditions de cette traversée. Sur ce bateau, seul le capitaine disposait d'une cabine. Ses coéquipiers vivaient sur le pont, s'abritaient du soleil à l'ombre des voiles. Nous, les passagers, étions simplement parqués dans une cale empuantie par des provisions avariées. Recroquevillés dans un coin, chiens dans un chenil, nous disputions notre nourriture aux rats et aux blattes. Les hommes d'équipage racontaient que par temps de tempête, le capitaine décidait arbitrairement de faire du lest en précipitant par-dessus bord des passagers. Il choisissait d'abord les femmes, celles qui se soumettraient, dispenseraient leurs faveurs, seraient protégées le moment venu. » Le silence se coupait au couteau. Jamais Odanis n'avait mentionné cet épisode.

Philéus Corvolan dénoua la situation tendue : « Moi, je suis prêt à tenter ma chance, à la condition qu'Amédée vienne avec nous. Abeilles, thons, dauphins, chauves-souris, tortues de mer, papillons monarques, pigeons voyageurs ne possèdent pas aussi bien que lui le sens de l'orientation. Amédée, tu es là assis mâchonnant ta pipe, et tu ne dis rien. Tu es le seul ici à avoir de l'expérience dans ce domaine. Dans ta jeunesse, tu as effectué maints voyages, à Cuba, aux Bahamas, à Nassau, Maracaïbo Curaçao, sur des bateaux pas plus gros que ceux qu'on utilise sur le circuit Port-au-Prince,

Jérémie, Corail, Pestel. Tu ne le diras pas, hein, compère Amédée ? Ta modestie, ton humilité finiront par t'étouffer, un beau jour. Toi, tu sais comment te servir du soleil ; il est ton compas et ton chronomètre ; ta boussole, tu l'as dans tes narines. »

Adélia, Hiladieu Datilus, Odanis Jean-Louis, Derville Dieuseul hochaient silencieusement la tête. Amédée tira une dernière bouffée de sa pipe, prétexta la fatigue, l'heure tardive, pour se lever et quitter la tonnelle. Moi, je savais déjà que la partie était gagnée ; Amédée accepterait d'être du voyage et dirigerait l'équipage. Cette nuit-là, alors que j'essayais par tous les moyens de calmer mes craintes et de trouver le sommeil, Amédée me fit parler de ce que je vous ai déjà raconté, et que j'appelle les sept visions d'Amédée Hosange.

Dès le lendemain, la décision fut prise de quitter Port-à-l'Écu sur un voilier que nous construirions nous-mêmes. Amédée ne posait qu'une condition : il n'était pas question de partir sans Noelzina. Selon ses calculs, elle devrait être parmi nous vers la mi-janvier. Notre bateau serait alors prêt à prendre la mer. En quittant Port-à-l'Écu à la mi-janvier, disait-il, nous avions toutes les chances de ne pas rencontrer de cyclone, d'intempérie. On pourrait ainsi remonter vers le nord sans encombre. Là, poussés par les grands vents, on se laisserait porter vers les côtes de la Floride sans risque de tourner en rond ou de faire à notre insu marche arrière.

Amédée, monsieur, je vous l'ai déjà dit, connaissait la navigation en haute mer. Il m'avait souvent parlé de ses voyages au long cours. Véritable pigeon voyageur, en reniflant, il associait les odeurs à la direction du vent. Il connaissait la position des étoiles fixes et des étoiles errantes. La nuit, en fixant le ciel, il pouvait faire le décompte des milles marins parcourus, dire combien le ciel avait marché au-dessus de la terre. Il n'avait pas besoin de montre pour déterminer quelle partie de la nuit ou du jour était passée.

IV

ELDORADO DE LÉGENDE

IL FAIT SOLEIL à Miami. Mes relations avec Normand ont toujours été tissées de liens si intimes qu'aucune distance n'opposait d'infranchissable obstacle à notre complicité. Même aujourd'hui qu'il n'est plus que souffle et ombre, cette coexistence naturelle qui faisait qu'aucun de ses plaisirs, qu'aucune de ses émotions ne m'était étranger, demeure. Je mêle l'écho de ma voix à la rumeur des autres voix et j'imagine Normand débarquant à Miami en plein soleil, bien qu'il n'y ait là rien d'original, puisqu'il fait toujours soleil à Miami, un soleil régulier, massif, sans rhumatisme.

À Miami, le soleil se regarde dans le bleu de la mer, se mire dans les façades de verre et de chrome des gratte-ciel. À vol d'avion, les horribles toits de bardeau d'asphalte des maisons de banlieue serrées en rangées d'oignons s'évanouissent dans l'incandescence du soleil. À Miami, le soleil est masque. La brûlure du soleil voile des colères rentrées, cache des blessures mal cicatrisées, en souffrance d'éclatement, cèle des rancunes recuites. La cité d'Opa Locka avait été érigée de toutes pièces pour répondre à l'ambition urbaine d'un homme, Glen Curtis. « *My Dream City* », disait-il. Passionné de vitesse, il avait élu la région de la Floride pour son climat et voulait en faire une ville des Mille et Une nuits, d'où les noms de rues, Alibaba, Aladin, Simbad... Miami, aujourd'hui, n'est qu'un lieu de passage, une terre de l'errance et de la déshérence, fragmentée en dix villes où des solitudes se fraient. Les exilés du *Deep South* rêvent encore de vastes plantations de coton. Les *Yankees*, affairés le jour, ne retrouvent pas, le soir venu, les raffinements de Boston, les salons de thé, les clubs de bridge. Les fils d'esclaves gémissent les blues de Harlem. Miami, Amérique latine dans l'Amérique du Nord. Les Portoricains y parlent d'indépendance dans un espagnol anglicisé. Ils refusent tout contact avec les *Marielitos* dont ils redoutent la violence, eux qui pourtant n'ont pas peur de jongler avec le couteau.

Goût d'incendie et de pillage, de viol et de vol, goût de cendre, goût de mort. Le vent salin, étourdi, en deuil d'embruns sous le soleil de Miami, répand une odeur composite. Des odeurs de havanes froids, de cigarettes blondes, de tacos de maïs, de poissons séchés, d'huile de friture, déferlent sur les teints pâles qui ont acheté comptant ou à crédit un rêve de peaux bronzées. Ils rêvent tous de ce hâle de luxe qu'on attrape à ne rien faire sur les plages de Miami Beach, face aux hôtels rococos et déchus. Insouciant, le soleil de Miami luit pour tout le monde.

Au mitan de cette chaude journée de janvier, Normand Malavy débarque à l'aéroport de Miami. Après avoir longé les interminables couloirs de terrazzo, il se retrouve devant le comptoir de contrôle des papiers d'identité.

L'officier d'immigration, un géant à l'allure d'équarrisseur, le front largement dégarni, la trentaine avancée, albinos à force d'être blond, lui demande machinalement : « Where do you come from ? » Normand pense que ce fonctionnaire doit être originaire du Texas, bien qu'il ne maîtrise pas suffisamment l'anglais pour percevoir les nuances d'accent. Il répond machinalement : « Du Canada, mais je suis haïtien. » L'homme tourne distraitement les pages du passeport. « Visa d'entrée ? » Normand reste un moment surpris. Selon les accords canado-américains, une pièce d'identité quelconque : acte de naissance, permis de conduire, carte d'assurance sociale, à la rigueur, carte de crédit, suffit à assurer, par-delà la frontière, une libre circulation des personnes. Normand prend visiblement le parti de se moquer de l'agent. « Comment ! Mon oncle ne se souvient pas de moi ? » Interloqué, l'albinos le dévisage : « Votre oncle ? Mais de quel oncle s'agit-il ? » Le visage de Normand s'épanouit en un large sourire. « Mon oncle Sam, voyons ! » Rageusement, le fonctionnaire ferme le passeport. La feuille d'érable dorée imprimée sur la couverture du document lui en indique la provenance. « Vous êtes canadien, que diable ! puisque votre passeport est canadien. » Normand le regarde dans le blanc des yeux : « L'histoire, voyez-vous, monsieur, a de ces petites coquetteries. » L'agent rouvre le livret et s'arrête à la page de la photo. « Vous vous êtes remplumé ? » Normand hausse les épaules. Il n'allait pas se mettre à raconter sa vie au premier venu.

*

En débarquant à Miami, dans le plein soleil de janvier, Normand venait de loin, de l'autre côté de la vie. Il arrivait de chemins, de ruelles et de corridors qui sourdent de chassés-croisés innommables, de nœuds de destins et de gouffres du temps. Il venait de plus loin que le plus extrême des Orients. Une vie en suspens, ces dix dernières années ; des traitements itératifs pour insuffisance rénale chronique, des séances d'épuration du sang trois fois par semaine à l'Hôtel-Dieu de Montréal, pluie, tonnerre, tempête ; des veines fatiguées, un frayage permanent avec la douleur. Du fait même de ces contraintes, il avait mené une vie de reclus, ces dix dernières années, dans cette ville devenue pour lui une prison.

Il disait toujours qu'à force d'errer dans cette ville, il existait des quadrilatères, des segments entiers dont il connaissait chaque pierre, chaque devanture de maison. Sa vie d'adulte — ce qu'il y avait de plus précieux dans sa vie d'adulte — y était incrustée, enchâssée : Leyda, des copains pour la fête et le rhum, la grande trouée d'espérance des années soixante.

Puis, il arriva un moment où Normand, à bout de souffle, hors de force et de courage, heurtant partout impasses, culs-de sac, murs sans créneaux, sans meurtrières, portes sans serrures, toujours les mêmes, aveugles, comprit qu'il n'y avait plus d'issue, nulle part, que sa course était vaine et folle, ses efforts inutiles et tout espoir illusoire. Alors, il s'était plongé tête baissée dans le labyrinthe des petites morts et des fragiles renaissances. Dix ans de bavardages, de bruits dans le vacarme du monde.

J'ai regardé vivre Normand, ces dix dernières années. Un autre aurait glissé dans la mélancolie, promené une gueule de cormoran, gardé contre la vie une rancune tenace d'amoureux déçu ; Normand, lui, s'était revêtu d'un élégant désespoir. Cela lui semblait relever d'une exigence radicale : celle de s'approcher au plus près du mystère, de l'impalpable, sans toutefois s'y abîmer, de trouver un point de tangence qui lui permettait de s'arracher au temps, à la mort. De là son souci de développer une posture d'équilibre contradictoire, d'oscillation permanente, seule façon qu'il avait trouvée de se guider à travers nuit et brouillard, de sortir de cette situation de confusion laissée par l'effondrement des paradigmes, la perte de ses certitudes et une santé précaire.

Montréal, ville d'accueil, ville creuset, ville qui joue à surprendre ! Épaulé par une municipalité inventive, un maire mégalomane avait entrepris de faire de cette ville sans passé prestigieux, peuplée en majorité de gens venus d'ailleurs, la « Terre des hommes ». De cette flambée d'ambitions étaient nés, en l'espace de deux décennies, une exposition universelle, l'implantation d'un réseau de métro, des Jeux olympiques, des floralies. Peu à peu, Montréal était passée du rang de ville de province à celui de cité moderne, dynamique. Cette ville en explosion représentait pour Normand un lieu géométrique de la conscience de lui-même. Combien de fois ne l'avait-il pas traversée ? Il pouvait marcher des heures. La marche constituait-elle pour lui une preuve concrète de son existence ? Il possédait malgré tout une aune pour mesurer sa dérive. Il avait circonscrit une aire et refaisait toujours le même trajet. Les jours où le soleil débordait de générosité, il partait de chez lui en voiture, traversait la montagne par la voie panoramique, lui donnait dos et allait stationner rue Saint-Laurent. Normand aimait cette rue, poumon de la ville, rue de la bigarrure, rue des accents et des odeurs. De là, il remontait à pied jusqu'à Prince-Arthur, l'une des rares artères piétonnes de Montréal. Rue bohème, cafés, tavernes, restaurants grecs, pizzerias italiennes, barbes hirsutes, cheveux roux de christs nordiques, pieds nus l'été, jeans et manteaux rapiécés l'hiver, chanteurs, orchestres ambulants.

Carré Saint-Louis, il se perd dans la foule des promeneurs attroupés devant les peintres portraitistes et leur chevalet, se mêle un instant aux commentaires faisant la part entre la ressemblance du modèle et le rêve de l'artiste. Il attend d'arriver rue du Parc, où Grecs et Portugais déchus se souviennent de leurs splendeurs d'antan, pour refaire l'éternel compte et décompte de ses trouvailles et de ses pertes, le long de cette vie, un miracle continué, un accomplissement de l'impossible.

Quand le soir tombe et avec lui les rumeurs de la ville, il pousse une pointe jusqu'à la rue Crescent. Une escale aux Beaux Jeudis ou à la Casa Pedro, ces hauts lieux de la drague où les femmes sont réputées pour avoir les cuisses hospitalières. Nuit en quête de hasard d'aube où, avec des rencontres de hasard, on fait semblant d'aimer. Ruine antique en attente de restauration, cimetière marin pistant île déserte, Normand, les yeux fermés, cherche chaleur et espoir, poursuit un impossible rêve dans lequel il se prend pour le prince Arthur, prince errant, prince d'Arabie, prince de vent. Telle était la ruse acrobatique que Normand avait trouvée pour rallonger le raccourci de son existence fragile, un cristal en perpétuel danger d'être brisé. Il vivait en funambule. Une dérive à travers Montréal, une rencontre brève, fortuite, un instant plein, autant de jardins clos, de parenthèses pour masquer l'absence d'issue et l'empêcher de céder à l'effroi.

Vint le temps où Normand en eut assez de substituer de vagues griseries aux sporadiques actes du quotidien, assez des nuits folles de Montréal, de fermer les bars, d'être cloîtré dans ce pays d'hiver où l'été peut ne durer qu'une journée.

Lorsque Normand débarqua à Miami ce midi de janvier, cela faisait peu de temps qu'il avait subi une transplantation rénale. Il espérait que cette greffe durerait longtemps, assez longtemps pour qu'à nouveau le monde soit à sa portée : les neiges du Kilimandjaro, la cordillère des Andes, la Laponie ou, tout simplement, un capuccino, à midi, sur une terrasse à Milan. Que de terres à voir avant de crever ! Que d'images à emmagasiner ! Il lui faudrait mille vies, mille résidences, mille nationalités, mille pays. Parti au moment où la dictature annonçait cette histoire archi-connue de pillages et de brigandages, il avait cru bon se mettre à l'abri, à la manière du promeneur quand la pluie mange le soleil avec des baguettes chinoises, persuadé que le beau temps ne tarderait pas à revenir. La pluie avait duré et il avait fini par compter plus d'années de sa vie d'adulte en terre étrangère que dans son propre pays.

Jusque-là, la mort n'entrait pas dans son horizon ; il l'avait reléguée hors-champ, hors-cadre. Depuis, la maladie avait miné son corps et il roulait sa bosse sur une roue de secours, hanté par la course inexorable de la vie. L'idée de la mort revêtait une signification si violente, si obsédante qu'il en restait paralysé, la tête vide de possibles avenirs. Il formulait un unique vœu : ne pas mourir à l'hôpital. Être assassiné dans son lit par un inconnu, passe encore. Trépasser dans un duel, la belle affaire ! Il aurait dû vivre au siècle dernier ; le duel ne rentrait plus dans les goûts de l'époque. Mourir dans la rue en pleine révolution, tomber sous les tirs croisés, pris entre deux feux ; cette perspective aurait été attrayante il y a de cela une trentaine d'années, alors qu'il avait de la mort une vision romantique, exaltée. Aujourd'hui, ne croyant ni en Dieu ni au diable, il n'avait pas à faire la toilette de sa conscience avant d'affronter l'au-delà et aurait préféré mourir n'importe où, hormis cet enclos aseptisé qu'est une chambre d'hôpital, mourir, se retirer du festin de la vie, rassasié. Il paraît que les mourants revoient, dans un instant d'intense lumière, en une fraction de seconde, toute leur existence. Homme de mémoire, Normand souhaitait que les images défilent au ralenti de façon à pouvoir égrener tout un chapelet de souvenirs. Les plus désagréables, il les gommerait assurément : l'amertume des larmes, la perte des êtres chers, la laideur du monde. Qu'aimerait-il revoir ? Avant tout, le vent caraïbe quand il mêle sa rumeur au chuchotement ininterrompu de la mer, cherchant obstinément l'orgasme de la terre ; quand il épouse la violence et le désordre aveugle de Sault-Mathurine ; quand il s'engouffre en bourrasque dans la plaine du Cul-de-Sac, hérisse la barbe jaunie par le soleil des champs de maïs, échevelle palmiers et cocotiers ; quand son souffle vagabond, irrespectueux soulève les jupes ; voir alors dans un envol de cotonnade les cuisses dénudées : on aurait dit que, chaque jour, le vent caraïbe réinvente l'effet Marilyn ; revoir cette terre chiffonnée de mornes, cahots caillouteux défiant le temps ; jadis, elle avait été nommée la Perle des Antilles ; aujourd'hui, oublieuse de ce passé au fumet de boucan et de flibuste, elle expose sous la foudroyante lumière du soleil que n'ombrage plus aucun arbre ses plateaux calcaires rongés par la lavasse, ses douleurs, son indigence ; revoir la ville des Cayes étalée au ras de sa baie, battue par le vent — une fois, il avait soufflé pendant tant de temps que des paquets d'écume, chassés par les rafales, s'étaient engouffrés dans les rues et avaient atteint la hauteur des toits ; revoir Jacmel et ses maisons en dentelle de bois, leur colonnade soutenant des balcons où jeunes belles et belles d'antan sont nonchalamment accoudées ; revoir Jérémie et ses falaises plongeant à pic dans la mer opale ; revoir la Citadelle, proue de navire échoué sur un escarpement rocheux : depuis belle lurette, elle a perdu tout aspect défensif pour n'être plus que vestige de la magnificence d'un roi qu'on disait fou ; voir Anse à Foleur, Roche à Bateau, Cavaillon — tous noms brillant des mille feux d'un eldorado de légende.

Et surtout revoir Port-au-Prince, sa ville, qu'il avait figée dans le temps et dans sa mémoire, espace complice, espace aux mille facettes. Existent-elles encore ces rencontres sur les galeries des maisons ? Existent-ils encore ces petits temples de l'amitié où la fumée des cigarettes tenait lieu d'encens ? Revoir Port-au-Prince, souveraine ; Port-au-Prince parée de la rougeur des flamboyants, des hibiscus, des bougainvilliers. Ville carrefour d'où personne n'est natif. Terre auguste et roturière. Au Portail Léogâne, porte sud de la ville, le palais aura-t-il gardé la saveur du bouillon de bananes et d'ignames où nagent des débris de poules mortes d'orgueil ? Portail Léogâne, Carême-prenant ; fêtes de la chair licencieuse ; souffles puissants des vaccines ; danser jusqu'à l'aube avec Mamman Ninie, Gros-Ninie, femme-baleine, pesant de tout son poids sur le sol, coudes cassés, genoux crochus, pieds en dedans. Le major fait valser le tambour :

CAVALIERS, CROISEZ LES HUIT ! CAVALIERS MARQUEZ LA CADENCE ! CAVALIERS, SORTEZ VOS MOUCHOIRS POUR ESSUYER LE VISAGE DE LA DAME ! CAVALIERS, MARQUEZ LE PAS.

Mais où va-t-il ce vieux sage à la barbe blanche soutenu par deux éphèbes cuivrés et imberbes ? La bande s'éloigne par l'avenue Jean-Jacques-Dessalines, en direction de l'autre portail. Avenue Jean-Jacques-Dessalines, rivière de chairs chaudes et pacotilleuses, sous l'ombre encombrée des arcades ; infatigable activité ! Misère ! Qu'est-ce qui fait courir ainsi les enfants du bon Dieu en véritables fourmis folles ? Hordes jacassières accrochées aux ridelles des tap-taps, autobus bariolés de peintures naïves : le vert tendre des végétaux s'allie à la luxuriance délirante des figures saintes. Serait-ce pour masquer les blessures de la pauvreté ? En relief, les camionnettes arborent sur leur pourtour oraisons, proverbes, exhortations ; *fèm konfians*, fais-moi confiance, l'Éternel est mon berger, la Providence est bonne, Vierge Caridad, Altagrâce mon amour ! Boulevard Jean-Jacques-Dessalines, mille petits métiers fleurissent à la lisière de l'inutile : limonadiers ambulants, cireurs de chaussures, laveurs de pare-brise, vendeurs de loterie ; mille têtes portant tout sur la tête, se fraient un chemin jusqu'au Portail Saint-Joseph ; entendre là battre le cœur de cette ville torride et bon enfant, mal dégrossie de la campagne ;

Véronique, Ô vierge-putain, je te revois encore en tunique blanche, lanières de cuir croisées sur tes jambes nues, bandeau d'or autour de la tête, belle à faire tomber raide mort ! Jeune gazelle, tu fus élue et offerte en sacrifice au dieu-soleil, dieu-forgeron, dieu du feu et de la violence guerrière. Je t'ai vue plus belle encore te dévêtir de ta tunique de soie sauvage, vaincre ta paralysie de terreur pour danser la danse de la mort dans ce brasier, au milieu des chants, des sacrifices d'oiseaux de Guinée. Puis, ce bain dans la boue miraculeuse pour célébrer la vie à Ville-Bonheur, Véronique. Ô ! Revoir le cimetière de la Croix-des-Bouquets où l'enfance jouait à cœur d'été aux soldats et aux voleurs, tapie dans la cavité des tombeaux disparaissant sous l'invasion des pissenlits. Revoir les mules chargées à couler bas le long du chemin qui mène à Ganthier ; et le vol triangulaire des ramiers au-dessus de la rivière Bounda-Mouillé, à midi. Les lavandières battent le linge sur les pierres poussiéreuses ; elles le rinceront dans le filet d'eau, bave d'épileptique, qui serpente au milieu des cailloux. Revoir le petit matin des tropiques, humer sa senteur de canne fraîchement coupée. Longue vie à l'herbe et à la fougère ! Longue vie au coude du sentier qui mène à la tête de l'eau, là où l'eau trouve sa pente et ne sait pas encore si elle sera ruisseau, rivière, fleuve, estuaire.

Qu'a-t-il dû revoir de sa vie d'errance ? La lumière de l'aube sur le fleuve Saint-Laurent, la féerie des couleurs dans les Laurentides, l'automne ? La blessure des érables au printemps, dans les cantons de l'Est ? Le retour des oies blanches à cap Tourmente à la fin de l'hiver ? L'aurore boréale, dans le ciel si bas d'Abitibi, la première fois au Témiscamingue, dans l'extrême-nord de l'exil ? Et, plus proche, pas assez décantés pour être des souvenirs, des visages amis, empoisonnés par des restes d'espérance à force d'avoir chassé des éléphants, eux qui n'ont même pas su attraper avec des filets, les papillons de la Saint-Jean. Qu'a t-il dû revoir ? Le mystère et la mélancolie d'une rue où une petite fille courait après un cerceau ? Que revoit un agonisant avant la grande lumière ? Peut-être tout simplement ce grand vide bleu qu'il faut contempler avec cet inoubliable regard que Brando dans *Le Dernier Tango à Paris*, à l'aube, jetait sur les toits de la ville, une balle au ventre.

Normand avait quarante-cinq ans, un corps en lambeaux. Il était engagé dans un défilé infini de petites secondes pressées qui chipotaient son corps et sa vie. Il avait proposé à Leyda de l'accompagner à Miami. Ensemble, ils auraient quitté l'hiver qui grillage le fleuve, verrouille la sève des érables et installe sur la ville un temps caillé, ce temps qui pourtant mûrit en secret l'avent des oies blanches. Le Québec, en janvier, est empesé dans un suaire de neige. La nuit semble engloutir le jour. Hommes et femmes, reclus dans leur maison organisée en forteresse imprenable pour lutter contre l'obscurité et le froid, subissent l'enfermement hivernal mois après mois, jusqu'à ce que, sous l'effet d'un printemps exultant, ils basculent sans transition de l'étouffement autistique à la liesse exubérante. Au pays de la tuque et du bas de laine, du sirop d'érable et de la cipaille, santé du corps et bien-être de l'âme ne peuvent-ils s'affranchir des desseins impénétrables de la providence ?

Normand avait voulu que Leyda l'accompagne dans ce voyage ; elle, avait ses occupations. La maison de couture dont elle était copropriétaire organisait au Ritz Carlton un défilé pour présenter la collection de printemps ; sa présence était indispensable.

Leyda ! Je la piste du regard. Je suis toujours ébahi par la façon dont elle arrive à trouver les objets égarés sans avoir à les chercher ; je m'étonne qu'il suffise à Leyda de se baisser pour ramasser les trèfles à quatre feuilles. Certes, ce n'est pas là une grande découverte, mais trouver sans chercher, se souvenir de ce qui n'est pas encore arrivé, voilà le sortilège ! La mémoire la plus profonde est celle qui préfigure toute notre destinée. Je suis émerveillé par ce seuil de connivence que Leyda entretient entre elle et le monde, comme si, pour elle, aujourd'hui signait demain et persistait hier. Normand, lui, ne la regardait plus. Entre ses séances à l'hôpital et son errance dans Montréal, il vivait une vie de solitude radicale, perdu dans le néant, l'obscur labyrinthe de l'ennui quotidien.

*

Soudain le caquet d'une marmaille d'enfants aussi tapageurs que des oiseaux de printemps ; il était midi, le temps de penser au déjeuner. Sur la table de la cuisine, le dernier numéro d'une revue à laquelle Normand avait toujours collaboré. Leyda la tendit à Amparo, soulignant au passage que les amis de Normand étaient restés empoisonnés par l'obsession du retour au pays natal. Cette obsession, ils la distillent, la déversent dans cette revue. Normand passait son temps, s'échinait, se dépensait à créer des revues : *Semences*, *Jonction*, *Poteaux.* Des fois, elles ne franchissaient pas le cap de deux ou trois numéros, mais il recommençait. « Sans une revue, on n'est rien qu'un pilier de bistrot. » La revue lui semblait plus vitale que l'air qu'il respirait. Normand et ses compagnons se repaissaient de procès à huis clos, d'assassinats, de purges, d'exactions, de fraudes : un ersatz de l'impossible oubli... Leyda disait cela d'un ton enjoué, ironisant sur le mot revue, tout en ouvrant et refermant des portes de placard. « C'est d'ailleurs le prétexte d'un reportage sur la communauté haïtienne à Miami que Normand avait donné à ses amis pour justifier son voyage précipité. » Amparo toussota : « Justement, j'allais vous demander de m'expliquer ce choix de Miami, pour un premier voyage, après dix années de réclusion forcée. » Une lueur d'incertitude voila les yeux de Leyda. « Pourquoi Miami ? », répéta-t-elle en baissant la tête.

Elle se souvient que cette année-là l'automne avait été mol et doux. Il avait musardé jusqu'au cœur de décembre. Les feuilles rousses et dorées étaient restées accrochées aux érables du parc et des rues avoisinantes. Jusqu'au 24 décembre, la haie de chèvrefeuille du fond de la cour avait gardé sa verdeur, au grand désespoir des enfants du quartier qui se demandaient avec anxiété si le Père Noël consentirait malgré tout à voyager. Puis, dans la nuit du 25, le vent avait changé de cap et ce fut brusquement l'hiver.

Pourquoi Miami ? Peut-être tout simplement pour changer d'air, laisser cet univers noirâtre. La gadoue, peau teigneuse, recouvrait les rues de la ville ; sur les arbres et sur les toits, la neige, lange et linceul, emprisonnait la vie, et l'on ne pouvait ouvrir la bouche sans qu'un jet de buée grise ne s'en échappât. À Montréal, en décembre, janvier et février, même la joie givre. Alors, il faut tuer l'ennui, fuir. Peut-être que Normand voulait laisser tout cela derrière lui quand il partit pour Miami. Il avait traversé d'un pas de somnambule la porte du couloir d'embarquement et s'était retourné pour lui faire de la main un geste d'adieu. Ce sont les dernières images qu'elle avait gardées de Normand vivant. Pourquoi Miami ? Peut-être y allait-il uniquement pour voir cette plaque tournante, porte ouverte sur les Caraïbes et l'Amérique latine. Pressentait-il ces événements qui allaient bouleverser son pays et voulait-il s'en rapprocher ?

Le dernier numéro de la revue était consacré à une analyse rétrospective des événements qui précédèrent la chute de la dictature. L'histoire, tout à coup, avec sa grande hache, avait décidé de tailler dans le vif d'un temps jusque-là apparemment immobile. Les vingt-huit années qu'avait duré le régime, parsemées de résistance, de révoltes et de luttes armées avortées, avaient donné leur plein de tueries et de carnages. La tempête qui devait bouleverser le pays commença aux Gonaïves. « Mon fils ! On le ramène, le corps dégoulinant de sang , il est mort. » Long cri de douleur d'une mère, un long cri repris en chœur par les domestiques, les intimes, les voisins, toute la rue, toute la ville. Un long cri de détresse. Le sang d'un enfant avait coulé. Et l'on apprit que les mêmes incidents avaient eu lieu dans d'autres villes, à Jérémie, à Jacmel, aux Cayes. Le cabrouet de la mort avait passé, laissant des innocents le bandeau sur la mâchoire. Alors, une houle d'écume sur les galets de la grève, un murmure de désapprobation triste, presque muet d'abord, se mit à grossir, à s'enfler, vague d'anathème franchissant avec impétuosité plaines, collines et mornes, se changeant en émeutes de refus mêlées à la colère des ventres, réveillant des consciences jusque-là assoupies, larguant dans les rues par milliers des visages d'ahan et de sueur : muscles de charrue, bœufs-de-chaîne, petit peuple des usines d'assemblage, trieuses de café, hommes de pirogue, de voiles et de gréements, routards de l'errance. Des bouches s'ouvrirent par dizaines de milliers : bouches de la débrouillardise « débrouillé pas péché », bouches de sauteurs de clôtures, acrobates de haut niveau, bouches de cols blancs et bleus, resquilleurs habitués jusque-là à prendre la paille pour le grain. La presse gouvernementale s'empressa de dénoncer les ennemis séculaires de la patrie, tapis derrière un paravent : l'immaturité de notre bon peuple. Il passa soudain sur la crête des vagues un vent de nationalisme frileusement fervent. La Voix de la République prononça des mots qu'elle aurait voulu historiques : « Nous vivons un étrange temps de commerçants tonsurés alliés à des suppôts d'un Blanc importé d'Allemagne nommé Karl Marx ; en vérité, ce nouveau Blanc ne prendra pas ce pays, ne déstabilisera pas la Nation. » Des centaines de milliers de bouches dans un vaste éclat de rire ripostèrent que les semelles de crêpe sont passées de mode, les enfants d'hier sont aujourd'hui adultes, les masques des Mardis gras ne les terrorisent plus. Trop, c'en était trop, répliqua le Pouvoir, nasillant, déjà zombi. Il intima l'ordre de lâcher les chiens. Les nuits furent ponctuées de rafales de mitraillettes, les maisons criblées de balles à hauteur de lit. La marée, un moment, descendit, laissant le rivage à découvert et du sang tout le long du chemin de la batture. Rien n'y fit : prêtres des petites églises, prélats de haut rang, laïques fervents, la foi la plus grande, la foi la plus petite observèrent de multiples jours de deuil et de prières. La bourrasque reprit de plus belle et l'on vit, portés par le vent du large, des témoins naguère impassibles, des esprits chagrins hier renfrognés dans leur coin, des athées boudeurs, des jaseurs de carrefour, des graines de promeneurs, rejoindre la mêlée où nul ne fut exclu, ni le vieillard abîmé par le fiel et l'amertume de la vie, ni l'épave tuberculosée par l'alcool de canne, ni l'existence en banqueroute, nuées innombrables d'avadraps, de sans-aveu, de malandrins et de nabots. Ils sont debout, hommes, femmes et enfants à la mamelle ; ils avaient congédié la peur et, contre l'espoir hissé au zénith, soudain devenaient impuissants le gaz lacrymogène, la mitraille, les canons des tourelles. L'horloge de la révolte marquait l'heure juste.

Amparo déposa la revue, se leva, alla jusqu'à la porte vitrée donnant accès au solarium. Elle dit qu'elle détestait Miami, puis, sans transition, parla de l'atmosphère de chaleur qui se dégageait de cette pièce qu'on ne s'attendrait pas à trouver dans une maison de ce style ; elle parla aussi des fleurs, des plantes exotiques, des masques africains. Elle dit qu'elle détestait ce mode de vie à l'américaine, qu'elle détestait ce curieux rêve qui avait présidé à la fondation de la ville d'Opa Loka. Leyda lui répondait distraitement, continuant à s'affairer à la cuisine, hachant le persil, l'ail, les échalotes, la ciboulette qu'elle fit ensuite revenir dans un mélange d'huile et de beurre. Sa dorade marinait dans du jus de citron aromatisé aux herbes de Provence.

« Pourquoi Miami à ce moment précis de sa vie ? » Leyda eut un mouvement d'irritation. L'insistance d'Amparo la dérangeait. Elle inspira profondément. Cela lui coûtait de remuer ce passé, cette cendre. Elle laissa tomber dans un souffle : « Peut-être y allait-il pour faire le point avec lui-même, interroger sa mémoire, essayer de fixer ce qui s'enfuyait. Il s'agissait sans nul doute d'une affaire personnelle, strictement entre lui et lui... »

Normand était très peu bavard sur sa vie. Quand il lui arrivait d'en parler, il ne restait que des traces, des trous, quelques scènes, quelques lieux, blocs opaques. Normand aimait voyager. Avant d'être malade, il avait sillonné une bonne partie de la planète. Il disait toujours, à chacun de ses déplacements, que l'entreprise était vaine puisqu'on s'emportait avec soi où qu'on aille. Elle était néanmoins nécessaire ; elle permettait de changer son mal de place. Puis, il éclatait de rire, tel un clown se surprenant en flagrant délit d'éloquence tire une gentille révérence ou esquisse un pied de nez avant d'entamer un autre air.

D'une voix rocailleuse, Leyda répéta la question : « Pourquoi Miami à ce moment précis de sa vie ? » Cette question venait du plus profond d'elle, là où peut-être elle n'avait même pas accès. « Est-ce que je le sais, moi ? Un jour, il s'est levé, m'a demandé de le conduire à Dorval. Il s'est envolé vers Miami. Voilà tout. » Amparo afficha une mine déçue, celle de quelqu'un qui s'était apprêté à entendre une déclaration importante. Elle fixa Leyda avec une lueur d'incompréhension dans ses yeux écarquillés, le visage empreint d'égarement. Leyda se mit à tourner en rond dans la cuisine, louve prise au piège.

Elle sortit des placards nappe, serviettes, verres, argenterie, les disposa sur la table avec un soin méticuleux ; ce couvert qu'elle dressait était ce qu'il y avait de plus important en cet instant. Quand elle recommença à parler, ce fut avec un certain décalage. « Parfois, en des moments d'extrême solitude, lorsque l'horizon est totalement barré, l'être, au bord de l'abîme, est mû par une pulsion désespérée ; alors il rompt avec ce qui constituait jusque-là son univers quotidien, se met à courir vers ce qu'il croit être la vie et qui, au fait, n'en est que le terme. »

Leyda prononçait des mots dont le sens ne lui parvenait qu'au fur et à mesure ; elle entendait sa propre voix sans la reconnaître, poussée hors d'elle, enrouée, rugueuse. « Voyez-vous, le monde est constitué de deux grandes races d'hommes :

ceux qui prennent racine, qui se tissent un destin minéral dans un rêve de pierre et ceux qui se prennent pour le pollen. Adeptes de vastes chevauchées, ils traversent, avec le vent, les grands espaces. Ils sautent dans des voiliers de hasard, empruntent d'aléatoires chemins, sans but, sans trajet préalablement déterminés. Normand était de cette race. Il aimait ces déplacements à tâtons qui se jouent sur des surfaces illimitées où départs et retours finissent par se confondre. »

Leyda ferma les yeux. Quand elle prend cette pose, son visage privé de regard est parfaitement neutre, inexpressif. Reprenant son ton habituel, elle dira d'une seule traite : « Normand avait perdu Ramon de vue depuis ce jour lointain où son frère avait décidé de battre ses ailes, de s'envoler vers les États-Unis. Une nuit, il fut réveillé par le timbre du téléphone. Au bout du fil, la voix de Ramon : « Je viens de rencontrer, par hasard, Youyou, tu te souviens de lui ? Il m'a appris que tu vivais encore au Canada, qu'un ami t'y avait récemment rencontré et lui avait refilé ton numéro de téléphone. Il faudrait absolument se revoir. »

La voix de Ramon ! Elle rappela à Normand les armoires de l'enfance qui sentaient la naphtaline, les draps amidonnés à s'écorcher vif, les clameurs de juillet, les fillettes du voisinage, les jeux de cache-cache, « trois fois passe là, la dernière on la pincera ». Leurs journées commençaient tôt, dès que les piroguiers avaient poussé leurs barques dans la mer. Un coup d'œil au ciel : si les ortolans planent très haut, d'un vol lent, immobile, la pêche sera bonne ; promesse de carangues, de thazars, et autres poissons frits. Que viennent les tourterelles dans les amandiers en fleur ! Reflets de lumière gris cendré éclairant une houppette de plumes, et les frondes se tendent. La vie prise au jour le jour : hier si vite oublié, demain si loin et, encore plus loin, l'adolescence, les randonnées à bicyclette vers la plaine du Cul-de-Sac, les razzias dans les champs de pastèques, le vent sur les frangipaniers, les fleurs qui s'envolent et recouvrent l'herbe d'un tapis blanc. Suivre le sentier des rails à rebours de la route des hommes qui s'en vont en ville avec leur femme, leurs bêtes et leurs dieux ; revenir dans l'après-midi avec des brassées d'hibiscus rouges cueillis aux haies des chemins et les déposer sur tous les lits de la maison. L'immense plaisir de marcher longtemps aux côtés de Ramon ! Et beaucoup plus tard encore, l'accompagner dans les bals voyous ; entrer sous les coups de dix heures au *Paradiso Bar*, au moment où l'orchestre entame les premières notes de *Besa me mucho* ! « Laisse le gosse, ne l'entraîne pas dans tes dévergondages », disait la mère. Les images courent au fond de ses yeux. Ramon ! Complet marron, chaussures deux tons, chocolat et blanc, grand, épaules larges, le chapeau sur l'œil, ténébreux, le col de la chemise relevé sur un veston cintré, un pantalon justaucorps laissant paraître la protubérance d'un sexe en biseau. « Qu'ai-je fait au Ciel pour mériter pareil châtiment ? Avoir mis au monde un maquereau ! » disait la mère, plus catholique que le pape. Ramon, connu de toutes les putes dominicaines, premier prix de concours latino-américain de danse, avec mention spéciale du jury pour la science exceptionnelle de ses pas.

Au *Paradiso Bar*, quatre instrumentistes et un chanteur, gueules de ruffians, torses massifs, se balancent sous la chaleur des projecteurs. Cet orchestre ne jouait rien d'autre que des succès cubains revisités au goût local. Il y avait ce soir-là de l'émotion dans la gorge écorchée du chanteur. Un pied sur une chaise, dans ses bras un bandonéon qui tantôt s'étire, tantôt se rapetisse. D'une main agile, il tâte les touches, se penche vers le micro ; il a l'air de chuchoter un secret au tuyau d'une oreille. Dans la pénombre, des silhouettes masculines dansent avec des filles aux épaules nues. Elles tanguent dans une même houle. Ici, des jupons virevoltent ; là, l'œil s'encanaille sur des fourreaux somptueusement pailletés, fendus jusqu'à l'indécence. Les jambes se mêlent, s'entortillent, se démêlent, se caressent ; la main de l'homme sur la cuisse dénudée de la femme, la main ouverte, la frôlant à peine. Ils se regardent dans le blanc des yeux, se défient. Ramon était accoudé au bar, son promontoire d'observation. Les filles, assises autour des tables, tenaient compagnie à des messieurs en smoking. Tout en reluquant de potentiels clients, elles faisaient d'une main nonchalante bouffer leur mise en plis maison, parlaient avec un rythme de mitraillettes, laissaient à découvert des jambes gainées de soie noire qui exhibaient des talons aiguilles. Ramon avala son troisième scotch, puis se dirigea vers la piste où il intercepta une señorita de rêve : long fourreau de brocart, sourcils peints en bleu, lourdes boucles d'oreilles créoles, grain de beauté sur la joue droite. Quand Ramon posa la main sur son épaule, elle leva vers lui des yeux étincelants. Ramon savait-il que Carmencita était depuis peu la propriété de Joe Desforges, surnommé Coupé-fê ? Celui-ci était assis à une table au fond de la salle. Une vraie tête de rat avec un museau pointu, des oreilles pointues détachées et poilues, des yeux chassieux dans un visage raviné, la joue balafrée. « D'où sort-il ce nègre de merde ? » Une odeur de sang pourrit l'air. La salle retint son souffle. Même un idiot n'aurait gagé un penny rouge sur la suite des événements, tant la fin est connue : un coup de feu, un homme sur le carreau, raide mort. Ramon ne pouvait sortir de ce dancing que les deux pieds devant. Joe Coupé-fê allait le délivrer à tout jamais du souci d'affronter chaque matin la lumière du soleil.

L'orchestre ponctua ce verdict en changeant de rythme : « Et ce fut la pente fatale du cabaret à l'hôpital », susurra la voix enrouée du chanteur. Carmencita toisa Ramon des pieds à la tête, lui ouvrit les bras, puis noua ses deux mains sur sa nuque. Jeux de croisement et de décroisement des jambes. Frotti frotta. Aïe maman ! Douce ! Menue, Carmencita ployée sous la vigoureuse étreinte de Ramon. Deux visages aux yeux lascifs. Fusion des corps. Le couple passe des figures les plus simples aux plus tortillées. Mouvements onduleux de formes soudées, balancement de cygnes, déhanchements vicieux, pervers, l'image même du cavalier et de sa monture, ne formant qu'une seule et même créature mythique, pourvue d'ailes invisibles. Ils ne foulaient pas la terre ; ils glissaient légèrement au-dessus d'un nuage. Les bras de Ramon enlaçaient fermement Carmencita. Sa nuque, son profil, l'épure du corps, tout brillait ; l'éclat de l'orchidée au haut de sa tige. Ramon et Carmencita dansaient ; ils étaient seuls au monde. « Quel couple ! les premiers pas sur la pente de l'orgasme ! » dit une langue qui avait de la langue. Tonnerre d'applaudissements. L'orchestre s'arrête pour la pause réglementaire. L'assistance réclame : « Encore, encore. » Les plus enragés sifflent, deux doigts dans la bouche, tapent du pied ; les plus timides crient « bis, bis ». L'orchestre bissa, Ramon et Carmencita se remirent à tourner, à tournoyer jusqu'au vertige. Deux, trois fois, même manège : nouvel arrêt, nouveaux bis. « Ces couples-là sont rares, aussi rares que l'herbe entre les pavés des rues », chuchotait-on dans l'assistance. Joe Desforges se leva, tira d'on ne sait où un couteau et le planta sur la piste marquant la limite au-delà de laquelle ce couple n'avait plus le droit à la vie, puis partit, la mine renfrognée, grommelant, les dents serrées, une litanie de jurons, d'injures. Qui disait que les vrais cons ne dansent pas ?

Le fait est connu : quand les récits concordent en tous points, le tribunal peut être assuré que les témoins mentent. L'histoire de Ramon doit être vraie puisqu'on ne peut plus en compter les variantes. Elle est encore fraîche dans la mémoire des habitués du *Paradiso Bar*, d'autant plus qu'il se produisit plus tard un événement qui la transforma en légende. Un après-midi vers cinq heures, alors que Ramon longeait le rond-point du Sacré-Cœur, un homme masqué surgit d'un corridor, tira six coups d'un revolver calibre 45 (d'un colt 38 affirment certains). Combien de balles atteignirent Ramon ? Là, le mystère reste complet. La plupart de ces récits disent cinq sur les six, mais Normand, qui est allé le voir chaque jour à l'hôpital, prétend avoir compté quatre trous et la mère, sur la foi d'avoir été présente un matin à l'heure où l'infirmière lui donnait son bain, atteste en avoir vu trois. La légende assimila le courage de Ramon à celui d'un taureau de corrida. L'assassin, voyant que sa victime trouée de balles s'avançait résolument vers lui, prit la fuite toutes jambes à son cou. Ramon poursuivit son agresseur sur plus de trois cents mètres, affirment des passants qui s'appliquaient à passer ; deux cents disent des témoins oculaires ; cinq cents assurent des colporteurs de nouvelles. Tel ce chevalier à la tête tranchée d'un coup d'épée qui continuait à s'agiter, tout mort qu'il était, dans le tumulte du combat, Ramon avait trouvé le courage d'appeler un taxi et d'entrer sur ses deux pieds à l'urgence de l'hôpital du Canapé-Vert. Ce fait fertilisa l'imaginaire populaire. De venelles en ruelles, de ruelles en boulevards, de boulevards en ravines aussi sèches que les os des vaches, la rumeur se répandit en quolibets, en chansons à répons, en contes : Joe Desforges, Coupé-fê, avait pris la poudre d'escampette devant la vaillance d'un nègre qui n'avait pas deux couilles, deux « graines », mais des myriades et des myriades, innombrables comme celles d'une pastèque.

La voix de Ramon ! « Il faudrait vraiment se revoir, je n'ai pas le temps ces jours-ci. Je pars dans deux jours pour le Mexique. Un long voyage d'affaires. Je possède un appartement au bord de la mer, à Golden Beach, idéal pour une période de convalescence, tu verras. Il est suspendu au-dessus de la mer pleine de cris de mouettes en cette saison de l'année. Quand il vente, le bruit des vagues entre dans la chambre et emplit le sommeil. Tu pourrais l'occuper pendant mon absence, cela te permettrait de couper l'hiver… » Normand répondit qu'il viendrait peut-être, il en parlerait à Leyda. Il nota l'adresse. Suivirent les nouvelles des vivants et des disparus. Ramon était maintenant dans le commerce des bijoux, un business qui l'obligeait à se déplacer souvent : Mexico, Bogota, Caracas. Normand reconnaissait bien là Ramon ; jusqu'au jour où on découvrira, sous les cailloux, l'herbe et la fumée. Avec son sens de l'humour, Ramon parlera de travail à temps partiel, pour masquer la gravité des choses.

Normand reçut les clefs quatre jours après ce coup de fil. Il les avait dans les poches quand il prit l'avion à l'aéroport de Dorval, un matin, en direction de Miami.

DEUXIÈME PARTIE

BONJOUR LES VENTS !

Ainsi, sans arrêt ni faux pas, sans licol
et sans étable, sans mérites ni peines, tu parviendras
non point, ami, au marais des joies immortelles.

Mais aux remous pleins d'ivresse
du grand fleuve Diversité.

Victor Segalen, *Stèles*

I

LE TROIS-MÂTS DE LA TRAVERSÉE

NOUS ÉTIONS début novembre. La semaine avait passé à réjouir nos morts. Ces cérémonies étaient indispensables puisque nous ne savions pas combien de temps nous passerions loin d'eux. Il le fallait aussi pour obtenir leur bénédiction et entreprendre cette grande aventure sous les meilleurs auspices.

Les fêtes sont la splendeur des pauvres. Même si nous vivions par temps serré, nous ne sommes jamais pingres avec nos morts. Il ne manqua de rien : toutes sortes de bêtes, bêtes à plumes, bêtes à poils, bêtes à petites figures nageant dans toutes les sauces, accompagnées d'une infinie variété de légumes. Des jours plus tard, l'odeur des biscuits chauds, des piments boucs, du gombo et des grillades marinées d'ail, d'oignons, de sauge embaumait encore les collines aux alentours. L'Artibonite lui-même eût ravalé sa morgue de fleuve devant l'abondant ruissellement de l'eau des guildives : tafia, clairin, trempée d'absinthe, bois cochon. Et l'ambiance ! Une débauche de sons et de rythmes. Toute la nuit nous avons dansé : rada suspect, yanvalou mal élevé, rabordaille de la joie de vivre. La désolation de l'aube nous trouva devant une tasse de café lavé-zyeux pour traquer la gueule de bois. La nuit du 30 octobre, nous avions travaillé sans relâche pour blanchir les tombes à la chaux vive. Les enfants, les adolescents et les vieillards furent mis à contribution. Certains rapportèrent la cire pour tourner les bougies, d'autres allèrent jusqu'à Labadie quérir les fleurs, fleurs qui coûtèrent la tête d'un nègre ; aidé des plus âgés qui savaient écrire, Philéus Corvolan avait retracé les noms et les dates de naissance et de mort que le temps avait effacés sur les pierres tombales. Toute la nuit du 1er au 2 novembre, le cimetière illuminé et fleuri retentit du son des tambours et des vaccines.

Je n'ai pas besoin de vous rappeler, monsieur, l'importance des morts chez nous. Vous savez aussi bien que moi qu'ils sont partout présents, nous accompagnent dans tous les gestes de la vie. Ils sont notre lumière et non nos ténèbres ou plutôt, ils sont la lumière qui éclaire nos ténèbres.

Le dimanche suivant, premier dimanche de l'Avent, les hommes eurent une grande discussion sur la forme du bateau. J'ai noté ce jour dans ma mémoire parce qu'en ouvrant la porte ce matin-là, je fus assaillie par un vent violent, inaccoutumé à cette époque de l'année. Il souffla toute la journée, soulevant des tonnes de poussière, grossissant les vagues dont les embruns masquaient l'horizon.

À la réunion, ce soir-là, les hommes discutèrent si fort que l'éclat de leurs voix couvrait le bruit du vent. Hiladieu Datilus était le plus bavard, le plus irréductible quant à la forme que devrait prendre notre embarcation. Chaque proposition était qualifiée de pinasse tout juste bonne à nous expédier par vol direct au pays des sans-chapeau. À écouter Hiladieu, il nous aurait fallu un galion comme ceux qu'Isabelle la Catholique armait pour trouver la route des épices et conquérir le monde. Hiladieu, en bon chrétien, avait en tête une reproduction de l'arche de Noé, avec un toit, trois étages, capable d'abriter hommes, femmes, enfants, sur laquelle on pourrait charger vaches, cochons, cabris et autres victuailles, assez pour nourrir la presque centaine de personnes que nous serions, pendant la traversée.

« Ouais, voilà l'affaire ! » s'exclama-t-il, les yeux papillotants, quand Amédée, pour couper court à la discussion qui menaçait de tourner au vinaigre, étala le portrait d'un voilier qu'il avait trouvé dans les affaires de son défunt grand-père. Il fallut quatre mains pour déployer ce dessin représentant un trois-mâts d'où descendaient, sous les yeux ahuris des Peaux-Rouges vêtus de pagnes, des peaux blanches en pantalons et chemises bouffantes de couleur criarde, chapeaux à plumes, épée à la ceinture. À ma grande surprise, les hommes déclarèrent qu'ils pourraient faire mieux.

Pour construire le trois-mâts, l'équiper, le radouber au besoin, le lendemain, 4 novembre, au pipirite chantant, Céladieu Datilus, Odanis Jean-Louis partirent en bouline à Jean Rabel acheter du fer, des clous, du goudron, de la colle, des feuilles de tôle. Derville Dieuseul poussa jusqu'à Port-de-Paix où il était certain de trouver du bois de cèdre importé par un Syrien de sa connaissance. Amédée charpenta lui-même les varangues et les allonges qui devaient constituer l'ossature du navire.

Il suffisait d'un mot pour déclencher le rêve ; il suffisait d'un terme : carène, carlingue, mâture ; il suffisait d'une odeur : la senteur de varech que le vent transportait jusque sous le hangar où les hommes travaillaient, le vigoureux remugle du chanvre avec lequel les femmes tressaient de solides cordes pour la drisse ou même l'âcre senteur du goudron ; il suffisait d'un bruit : le couinement d'une écoute dans une poulie, le tintement d'une chaîne, le grincement d'une amarre autour d'un taquet quand les vagues faisaient balancer les barques de pêcheurs ; il suffisait de voir dans le ciel la brise pousser un gros nuage ; il suffisait de sentir sous les doigts le grain du bois grossièrement poncé ; il suffisait d'un rien, le déploiement des laizes pour confectionner la grand-voile, d'un presque rien, et nous voguions en haute mer. Les images s'enchaînaient, toutes voiles gonflées, nous cinglions pour ailleurs. Les cases naviguaient grand large. Même Odanis le méticuleux, celui qui d'habitude envisageait toutes les éventualités, laissait siffler dans sa tête les vents les plus cléments, défiler sous ses yeux les paysages marins les plus fabuleux. Il entendait des clapotis d'eau contre des pales invisibles, des grincements d'avirons dans leurs tolets.

Aucun voilier ne serait plus robuste que le nôtre ; rien ne pourrait le casser.

Hiladieu le prudent — précaution n'est pas capon — avait déniché à Bombardopolis, dans un bric-à-brac, des instruments de navigation, et puisqu'ils n'étaient pas neufs, il avait acheté tout en double : deux boussoles, deux sondes à main, deux séries de laizes pour que nos voiles soient les mieux ralinguées. À qui se moquait de lui, il répliquait : « On ne sait jamais, la déveine est un vieux nègre et nous autres nègres d'Haïti-Thomas, nous sommes tellement en déveine qu'on ne sait jamais ce qui peut casser. » Hiladieu stockait tout ce qui lui permettait de parer à l'imprévu, de réparer les défectuosités. Si on lui avait lâché la bride, si on l'avait laissé faire, il aurait construit un bateau de rechange.

Philéus Corvolan, l'imagination enflammée, ne dormait plus, se levait la nuit, plusieurs fois, pour arpenter le pourtour de la coque en construction. Une bonne demi-heure que cela lui prenait à chaque fois, pourtant le trois-mâts n'avait pas la dimension du *Titanic*.

Quand il y avait un mort dans le voisinage — ces derniers temps, cela arrivait fréquemment (les vieux, pour échapper à cette nouvelle transhumance, avaient choisi d'être enterrés sur leur terre) — la voix de Philéus Corvolan trouait la nuit, dans les veillées. Il s'était révélé un conteur intarissable d'histoires de banditisme sur mer : histoires de corsaires, de pirates dont les navires battaient d'étranges pavillons : cœurs ensanglantés, têtes de mort, tibias croisés sur fonds blancs, rouges ou noirs ; histoires de forbans, de hors-la-loi, d'aigles de mer, au visage balafré, nantis de jambes de bois, l'œil crevé caché sous des bandeaux de couleurs vives. À l'entendre il aurait vécu dans ces temps lointains où les pirates s'estimaient en droit de mettre en pratique les pensées les plus sadiques qui leur traversaient l'esprit. Il connaissait si bien certains d'entre eux qu'on aurait tendance à croire qu'enfant, il avait joué au cerceau, fait planer des cerfs-volants avec eux. On penserait qu'il avait rencontré Francis Drake, Jean François l'Olonais, avait engagé contre eux de sanglants combats, avait été témoin de leurs célèbres exploits, de leur férocité, de leurs incroyables carnages, de leurs exactions inédites. À l'écouter, il avait été présent le jour où Calicot Jack, ainsi surnommé à cause des vêtements de cotonnade qu'il affectionnait, avait joué aux dés avec Henri Morgan une mémorable partie dont il était sorti vainqueur, raflant d'un coup tout le butin : de l'or, de l'argent, des pierreries. On donnerait sa tête à couper qu'il a été le premier à découvrir le sexe de Mary Read, la seule femme corsaire, qui s'était illustrée dans le meurtre et le pillage. Cela s'était passé le jour où les hommes, occupés à orienter la vergue, à serrer le grand hunier, furent projetés à la mer par un formidable coup de roulis.

Intarissable, Philéus Corvolan !

Pour lui, Christophe Colomb, en dépit de l'auréole de grand amiral, de grand découvreur des Amériques dont il est nimbé, n'était qu'un menteur, un assassin, un imposteur, mû par la seule soif de richesse et de puissance. Il n'avait d'ailleurs pas été le premier à découvrir l'Amérique ; avant lui, les Vikings y étaient déjà venus.

Il me cassait les pieds et je le lui disais souvent, avec quelque exaspération, je l'avoue : « Fais-toi nommer grand amiral de l'océan, avec toutes les prééminences, prérogatives, privilèges, droits, immunités dont jouissait l'amiral de Castille », lui ai-je suggéré une fois. « Fous-nous la paix ! Dans toutes les terres que tu découvriras sur ta route des Indes, tu t'arrogeras le droit de légiférer pour toi et tes descendants, de partager fifty-fifty, mais, de grâce, fous-nous la paix ! »

Croyez-vous, monsieur, que cela l'aurait arrêté ? Il changea seulement de registre, joua à nous faire peur. Aux récits de flibustiers et de forbans succédèrent ceux de phénomènes étranges et de personnages plus étranges encore, qu'on rencontrait en mer. Dans ces contes, je les nommais ainsi, vu l'heure tardive à laquelle il débitait ses sornettes, le soleil était si proche qu'il rôtissait la peau, faisait bouillir la mer, la réduisait à l'état de limon où grouillaient de grotesques serpents de mer, monstres dévoreurs de navires. Des béliers surgissaient on ne sait d'où, têtes dressées, saisissaient les marins et les avalaient ; le vent gémissait, se muait en sirènes, détournait les voyageurs de leur chemin et les faisait périr. Il raconta même avoir lu qu'une fois, la Nordée souffla sans arrêt pendant un mois. Elle souleva des tourbillons de sable, trombes d'eau, des coulées de feu bondissant si haut qu'elles semblaient toucher les étoiles. Elle souleva des rouleaux gigantesques, des nuages d'écume, pendant que le sable en suspension donnait un aspect laiteux à la mer balayée par de forts courants. De nombreux navires avaient disparu sans qu'on n'ait jamais retrouvé leur trace. Certains d'entre nous, surtout les jeunes, le croyaient sur parole. Ils se réveillaient la nuit en hurlant parce qu'ils avaient rêvé de vagues gigantesques les engloutissant, de combats sanglants avec des monstres marins.

Quand Philéus Corvolan parlait de tempêtes hurlantes, ce que nous craignions tous, Derville Dieuseul, blindé d'optimisme, arguait que les tempêtes finissaient toujours par mollir, les vents par adonner, la terre ferme par apparaître. Adélia Datilus et moi regardions ces messieurs s'agiter d'un œil plutôt inquiet. Adélia encore plus que moi. Depuis que son mari avait été tué à Jean Rabel, elle regardait la vie avec méfiance. Un mois à travailler d'arrache-pied au fond d'une coque et on n'était même pas à mi-chemin. L'énergie des hommes ne baisserait-elle pas ? Nous craignions de voir le rêve refoulé dans le tapis de la conscience, submergé par les difficultés qui ne manquaient pas de surgir. Adélia encourageait les hommes à continuer, animée par l'espoir de recommencer ailleurs une nouvelle vie, de recommencer à vivre tout court.

Pendant des jours, nous avons encore peigné, poncé, épissé, gratté, cousu. Moi, l'inquiétude me tordait les tripes. Partir ? Qu'est-ce qui nous attendait de l'autre côté de la mer ? Amédée avait dit qu'on devait s'en aller. J'aimais Amédée. Avec lui, j'irais jusqu'aux îles turques. Jamais je n'avais été aussi attentive aux mauvais présages. Je prenais mes petits moyens pour les détourner : disperser aux quatre points cardinaux des poignées de farine de maïs, répartir dans des coupelles du petit mil, des pois noirs que je plaçais aux entrées du cimetière ; abandonner un coq zinga, pattes et ailes liées, au carrefour des trois mapous. Ces gestes portent à sourire, monsieur, ils nous viennent des aïeux qui chassaient ainsi les mauvais esprits.

Novembre avait perdu ses dents, décembre l'avait envoyé bouler. Le rythme des travaux et des jours, celui que nous avions connu jusque-là, était tout bouleversé. Planter, marcotter, tailler, sarcler, tous ces gestes qui avant meublaient notre quotidien, n'étaient plus de mise. Aïe, monsieur ! Lorsque le malheur passe devant notre porte, il ne faut ni le regarder ni lui faire des signes, il a tendance à s'arrêter, à s'installer.

L'après-midi du 8 décembre, jour de la fête de l'Immaculée Conception, nous avions fini d'assembler et de coudre les morceaux du grand hunier. Assises au bord de la plage, Adélia et moi, nous épluchions bananes, patates douces, ignames pour le repas du soir. La matinée s'était déroulée sans incident. Des hommes s'apprêtaient à lever la seine qu'ils avaient posée depuis l'avant-jour. Une énorme houle, on en a souvent dans cette région quand souffle la Nordée, les renversa presque dans l'eau. En se retirant, elle laissa à leurs pieds un chrétien vivant, agrippé à une planche, violet de froid, claquant des dents, les vêtements en lambeaux. Quand il put enfin parler, il fit un récit embrouillé, parsemé de pluies obliques, de requins bleus, d'animaux jacassiers. L'homme se contredisait à chaque phrase, sur plusieurs points. Pour l'essentiel, le bateau sur lequel il travaillait avait frappé le mauvais temps et fait naufrage. Ses compagnons d'équipage avaient disparu.

La marée montait, il fallait se dépêcher de lever

les filets. Laissant le marin aux soins de quelques femmes alertées par nos cris, les pêcheurs retournèrent à leurs occupations. Adélia et moi, nous les regardions, enfoncés dans la mer jusqu'aux épaules tirer la grande seine dont les flotteurs en liège frôlaient un troupeau d'enfants qui s'ébattaient aux alentours. Avant même qu'ils aient ramené les filets sur la plage, les chiens s'étaient mis à hurler. Muets de stupeur et d'effroi, nous vîmes, au lieu des poissons que nous nous apprêtions à boucaner, des corps déchiquetés dont les viscères aux trois quarts rongés sortaient de trous béants.

Devant ce spectacle inédit, Amédée se retira sous le péristyle. Dès que nous le vîmes réapparaître, entouré d'un halo de lumière et de grains de poussière qui tournoyaient en scintillant dans l'incandescence des rayons du soleil couchant, nous avons su que les dieux avaient parlé. Les yeux remplis de tristesse, d'une voix sans âge, il nous dit : « La mort va frapper, il faut se dépêcher. »

Le temps qui jusque-là était un temps de patience et d'attente accéléra sa cadence.

Cette nuit-là, aucun adulte de notre clan ne ferma l'œil. Sur la grand-route, l'activité bruyante des hommes et des camions s'était éteinte ; les coqs et les poules avaient fini de psalmodier leurs prières du soir. Seul un concert d'anolis, de crapauds, de criquets déchirait la nuit de cris aigus, enroués. Nous travaillions en silence. Hiladieu qui vérifiait avec minutie les haubans des mâts, les taquets, les écoutes, les crochets, marmonnait : « Le sort d'une traversée se décide autant à terre que sur l'eau. » Très loin, par-delà les collines, le monotone tam-tam d'un tambour rappelait aux âmes oublieuses l'Afrique ancestrale et mythique. « Pas un moineau ne tombe à terre si ce n'est par la volonté du Grand Maître », ponctua Philéus Corvolan, comme s'il concluait un long sermon. Puis, abandonnant sur le sol de terre battue le morceau de papier sablé dont il ponçait la grande hune, il partit pour une promenade le long de la grève. Il marcha jusqu'à la pointe de la baie, malgré les embruns et les vagues qui s'abattaient en furie sur les côtes de Port-à-l'Écu.

C'était la fin d'un jour fertile en tensions. L'aube pointait. Le village se réveillait. Une odeur de café montait des cases. Sur une chaise accotée au mur de notre demeure, Amédée somnolait doucement, sa pipe oubliée au coin des lèvres. Accoudée à la balustrade, je regardais sans voir le chemin qui nous reliait à la nationale. Une tache de couleur grossissait, prenait forme. Quelqu'un s'acheminait d'un pas pressé vers la clôture de barbelé qui entourait notre habitation. Cette dégaine, cette jupe virevoltante, ce foulard blanc qui emprisonnait toute la tête et dont les pans étaient ramassés en torsade sur la nuque, ce port altier, je les reconnaissais. Noelzina nous était revenue.

II

VOYAGEURS DE L'EXIL !
VOYAGEURS SANS RETOUR !

BREF, comment décrire Normand Malavy ? Comment observer le recul, la distance qu'imposerait l'impartialité ? Le Normand dont ma mémoire garde souvenir est celui d'avant les nuits en deuil d'aube, un type de personnage que l'esprit du siècle, l'air du temps ont rendu familier. Expert en calamités universelles, il prend le pouls de la planète, champion des luttes contre la faim, il recense les génocides. Tracassé des droits de l'homme, signataire des pétitions, membre de comités de soutien, il inventorie les mouvements de libération, dénombre les opprimés. Habitué de charters, client de restaurants exotiques, la gueule fracassée de chagrin, il est imbattable sur la géographie de la dépendance. Une cervelle d'Occidental, quoi ! Cultivée et progressiste, qui porte en elle un chant secret, des siècles d'orgueil, résistant à l'oubli, conservant une tenace espérance au cours ultime des défaites.

Kierkegaard, vers la fin de *Crainte et tremblement*, accorde à la foi, « la plus haute passion de l'homme », affirme-t-il, l'absolu pouvoir qui permet de franchir d'indépassables horizons, d'aller au-delà. De qui peut-on dire, dans le long défilé des générations, qu'il a franchi ce seuil limite, atteint ce degré de dépassement ? Certes, Normand a eu dans sa vie des moments privilégiés, des petits bonheurs, des instants pleins. Pourtant ils ne représentaient pour lui que des éclaircies, des épiphanies. Tout être moins compliqué se serait estimé comblé et n'aurait même pas soupçonné qu'il puisse exister un au-delà. Si d'aventure quelqu'un le lui avait appris, il s'en serait irrité, comportement semblable en tous points à celui de l'amant qui s'entendrait dire qu'il s'arrête à l'amour alors qu'il pense que toute sa vie y est contenue.

Ceux qui avaient bien connu Normand Malavy, ceux qui l'avaient regardé vivre au fil des années, savaient qu'il peaufinait au quotidien un univers qui devait irrémédiablement l'enclaver entre deux impossibilités : la chimérique résurgence du passé, puisqu'on ne peut repasser par sa vie, et l'oubli de ses racines qui souvent conduit à la folie.

Cette histoire inscrite dans les marges d'un

temps couvert de décombres et de cadavres se place entre deux impossibilités, tel un domaine intermédiaire. À l'origine du voyage de Normand à Miami, il y avait ce que certains qualifieraient de désœuvrement ; lui, Normand, y voyait une réponse à une insensible glissade sur un sol sans relief. Qu'aurait-il pu bricoler autour de cette existence ? Comment congédier le nostalgique et l'illusoire ? Longtemps il s'est esquinté à faire des compromis entre le je et le moi. Il y avait eu entretemps la fragmentation, la perte, ce corps qui se lézardait sous le regard de celui qui l'habitait. Et pourtant, on sentait qu'il était encore heureux de vivre. La chaleur de la vie lui collait à la peau. Il en était le premier étonné et disait avoir lu quelque part — où et quand ? — que nous avons tous deux vies : celle dont nous avons rêvé dans notre enfance et dont nous continuons à rêver, adulte, sur fond de brouillard, la fausse ; et l'autre, celle que nous vivons, la pratique, l'utile, la vraie, celle où l'on finit par être conduit en bière.

Alors sous sa blessure toujours renouvelée, lancinante comme un air de tango, sous cette perpétuelle quête d'un impossible accord avec lui-même, d'une recherche désespérée d'absolu, il ressentait un mouvement de bonheur, une envie durable de vivre. Il aimait la vie, même si elle le saignait et n'en finissait pas de le saigner.

Quand Amparo et Normand se rencontrèrent à l'aéroport de Miami, deux destins s'entrecroisaient. Amparo revenait de Cuba. Elle n'en revenait pas vraiment. Elle revenait de Cuba sans en revenir. En cela, elle ressemblait à ceux qui, ayant trouvé Jérusalem, continuent à la chercher ailleurs, éternellement, jusqu'au bout du monde, à l'infini, voire au-delà. À cette époque, elle était en difficulté avec Felippe et lui avait donné rendez-vous à Miami, pour une explication finale, la quatrième en quatre ans. Les deux premières sont toujours les moins pénibles ; la jalousie n'est-elle pas la forme suprême de l'amour ? La troisième, ordinairement épouvantable : elle laisse éclater la douleur des promesses non tenues. La quatrième, toujours la pire : sans amour ni colère, rien d'autre que la lassitude et l'agacement nés de la répétition du même reproche, de la conviction que l'être avec qui l'on vit ne changera jamais, de la triste certitude qu'au fond, on s'en fiche.

La rupture ne se fait pas en sifflotant, les mains dans les poches. Qu'il est difficile de restituer l'autre à la foule ! On crie que tout est fini ; on tremble face à la béance du quotidien ; on recule devant le vide de l'indifférence, on hésite à ouvrir les portes sur les gouffres de la solitude. On peut se payer une fugue, un après-midi tout entier, et se raconter qu'on va prendre le bateau pour mettre fin à des années de vie commune. Au soir, on rentre, on retrouve sa place dans le lit et tandis qu'on s'endort, le bateau s'éloigne de plus en plus. Pour rompre, il faut avoir le courage de franchir l'instant d'après ; pour le franchir, il faut être prêt à utiliser des subterfuges, des moyens qu'on croit éprouvés et qui ne sont que panacées. Toute péniche sera bonne à prendre ; si elle n'existe pas, on la fabriquera : on couchera avec n'importe qui, on laissera la télévision allumée, on formera un numéro de téléphone. Amparo était venue attendre Felippe à Miami. Elle s'était apprêtée à faire les cent pas sur cette attente. Et pendant qu'elle faisait les cent pas, elle espérait que lorsque Felippe la rejoindrait, le jour reluirait car elle ne voulait pas le quitter. Felippe n'est jamais venu. La rencontre avec Normand aura évité à Amparo le rituel des couples qui se séparent et qui ne finissent pas de se séparer. Cette présence d'elle et de Normand à Miami, dans ce lieu impersonnel, ces heures vides furent un comble de place nette, un pic extrême, un sommet. Deux corps et deux consciences autonomes tracèrent la trajectoire du destin, trajectoire qui en elle-même était le destin.

Normand, lui, venait de Montréal. Il avait laissé son pays depuis vingt ans. À l'aéroport Maïs Gâté, il avait attendu longtemps l'heure de l'embarquement. Dans le hall, une foule houleuse : hommes, femmes et enfants, habillés en grand frais. Une foule se presse contre la grille de la douane. L'aéroport de Maïs Gâté n'est jamais triste le dimanche, même s'il faut s'arracher à des bras amis, s'y précipiter de nouveau, s'en dégager et s'enfuir. Dans les regards à Maïs Gâté se lisent des rêves de départ ; celui qui s'en va ouvre une trouée d'espérance : lui d'abord, ensuite la maisonnée et bientôt toute la parentèle. Normand ne voyait pas la foule. Il voyait un amas confus de particules multicolores, claires, brunes ou foncées, agglutinées et mouvantes. S'enfuir de la terre où l'on est né, se retrouver dans la pénombre d'une cabine d'avion. Les rayons du soleil se reflètent sur les ailes grises de l'avion. À travers le hublot, Normand voit une femme en vêtement sombre lever la main. Il peut distinguer les traits usés de son visage. Elle fait des signes avec un mouchoir. Elle agite la main. Elle essaie de sourire. Elle pleure. Le ronronnement des hélices couvre les cris de la foule massée derrière les grilles. Quand enfin l'avion décolla, Normand avait contemplé en contre-plongée le dos de rat pelé du morne de l'hôpital et ces mots avaient afflué sur ses lèvres : « Me voilà de nouveau dans le désert. » Il n'entendra plus le chant de cette terre, vieille nourrice à la voix rauque. Le voilà de nouveau petit garçon avec ses larmes. Un enfant tient la main de sa mère vêtue d'une robe de deuil, devant un cercueil couronné de lilas et de roses. Le petit garçon regarde le ciel d'un dimanche après-midi de novembre. Jamais il ne lui avait paru si vaste, si poisseux. Au bord d'une fosse où l'on descend lentement le cercueil, le petit garçon que sa mère tient par la main pleure en silence. Ils pleurent tous les deux, la mère et l'enfant, en silence. Un adolescent enveloppe la mère dans ses bras, silhouette sombre, femme qui connaît à cet instant précis la douleur de toutes les femmes, mère de toutes les douleurs, amour brutalement sevré. « Ne pleure pas, mère, ne pleure pas. Père avait l'éclat des soleils pérennes. Dans ce pays, les rapaces ne l'emporteront pas indéfiniment. Ne pleure pas mère. Laisse-moi sécher tes larmes avec ma tendresse. » Et l'adolescent couvre de baisers le visage de la mère. Il pleut de ta pluie de larmes, exil ! Te voilà bois mort sur la mer ! Auras-tu assez d'énergie pour dominer la houle des vagues, les gifles de l'écume ? Normand partait ; il tournait une page, toute une tranche d'un quart de siècle qui avait connu ses enthousiasmes, ses flux et ses reflux. L'histoire de cette période est connue : la prison, la torture, les camps de la mort. La révolution au pouvoir fit pendre par les couilles tous les opposants à son régime, incendier leurs maisons. Tandis qu'elle distribuait aux jeunes lycéens ses œuvres essentielles, « ses huiles essentielles » ironisait la malice populaire, le pays, marqué par l'érosion, croulait sous cette médecine de cheval, voyant chaque jour drainer ses cerveaux et ses bras vers d'autres cieux. Terrible saignée ! Nation misérable et royale, elle refit en sens inverse le chemin de la traite. Certains lettrés des villes iront jusqu'en Afrique. D'autres, moins bien nantis, deviendront tristement célèbres dans le monde comme coupeurs de canne et de bananes, corvéables à merci.

Mister et madame auront régulièrement sur leur table leurs carrés de sucre et leurs bananes Chiquita. D'autres, hommes de peine, rameront à perdre souffle et le maître, amateur de clovisses et de homards, sera satisfait. Des femmes, caste diligente, s'échineront dans les manufactures d'Amérique du Nord. À Montréal, rue Chabanel où la plupart d'entre elles œuvrent — à « l'université », disent-elles ironiquement —, elles laisseront sous la cadence des machines, sous le rythme hallucinant de la chaîne, une phalange, trois doigts, la main entière : cela s'appelle accident de travail, et puisque le malheur est parfois salutaire, avec la prime elles paieront l'écolage de leurs enfants. Beaucoup trimeront dans les hôtels, serviront le poisson gros sel, le plat de porc aux bananes vertes, sous les yeux satisfaits du maître offrant l'exotisme des îles en plein cœur de Montréal. Elles allumeront la pipe de monsieur, monteront les bagages de madame pour cinquante cents. Merci madame ! Merci monsieur !

*

Quand, à l'aéroport de Miami, Normand et Amparo se sont rencontrés, deux destins s'entrecroisaient. Une histoire d'errance, une curieuse odyssée sur toile de fond caraïbe, s'était tramée. L'errance est une fabrique de mythes. Elle pousse ou bien à rechercher des pays polis par les ans, dépositaires de grandes civilisations, ou bien à nouer un dialogue avec d'autres espaces. Dans les deux cas, de cet exotisme qui naît de la rencontre de temps ou de géographie différents, l'esprit fabrique artificiellement un lieu sur mesure. Amparo et Normand s'étaient offert un séjour à Miami. Inconsciemment, ils avaient créé dans cet univers de béton, de chrome, de verre et d'acier, un espace de voyage dans le voyage.

Ils furent surpris de se retrouver devant le carrousel des bagages. Ils ne s'étaient pas revus depuis ce lointain matin d'été où, dans le parc Gatineau à Ottawa, ils avaient convenu de se séparer. Pour se rendre à Golden Beach, adresse de l'appartement de Ramon, et avoir la possibilité de se déplacer à son gré pendant la durée de son séjour, Normand décida de louer une voiture. Quand toutes les formalités furent remplies et qu'il eut pris livraison du véhicule, il proposa à Amparo de la conduire à son hôtel. La jeune femme n'avait aucune réservation. Normand lui offrit alors de l'héberger. Amparo ne pourra jamais expliquer à quelle impulsion elle avait cédé quand elle accepta cette invitation.

Cela faisait vingt ans que Normand n'était pas retourné dans le Sud. Il avait oublié la présence majestueuse des cocotiers longeant une allée, une route et même une autoroute. À Miami, quand on vient de l'aéroport, les cocotiers bordent la route menant vers la mer, toute la mer, et quelle mer !

Elle était là, toute proche, familière aux amateurs de surf, de pêche sous-marine, de voile. Des pancartes promettaient, pour une somme modique, à une demi-journée de bateau, les coraux de Nassau, la danse des requins bleus au large des Bahamas. Miami était là, un trou laissé par la chute d'une météorite. La mer était là, présence d'un parfum sournois qui frappe l'odorat avant les yeux et les oreilles. Entre deux immeubles, un terrain vague : des yachts de luxe, taches de couleurs variées rivées à des bouées, se balançaient doucement au gré des clapotis ; d'autres en cale sèche, la coque renversée, se refaisaient une beauté. Le long de la route, l'agressivité mercantile des panneaux publicitaires : FOR SALE, TOURIST ROOM, SHELL, TEXACO, FOR RENT, APPTS 3 1/2-4 1/2, REAL ESTATE, LIQUOR STORE, FUNERALS HOME.

Avant de quitter Montréal, Normand croyait à une rédemption par la mer. Sans qu'il exprimât clairement ce sentiment, il croyait que ce séjour lui permettrait de faire le point sur son existence, de parvenir à un lieu de vérité. Était-ce cet espoir fragile qu'il entretenait cet après-midi-là, en s'enfonçant vers Golden Beach ?

La voiture filait sur la route peu encombrée à cette heure, exposée de tous côtés au soleil.

Amparo dit : « Je viens avec toi. Je voudrais cependant qu'entre nous, au point de départ, tout soit clair. Je veux bien partager ton appartement, discuter avec toi, rire, nager, courir sur la plage, jouer avec toi et même dormir dans le même lit que toi. Je veux partager tes repas, goûter des mets fabuleux, découvrir avec toi la Floride mais je ne veux pas faire l'amour avec toi. » Normand fit un mouvement brusque du volant. Était-ce une crevasse qu'il voulait éviter ? Il redressa le volant, alluma la radio et la régla sur une station qui diffusait de la musique classique. « Tu ne comprends pas ? interrogea Amparo, l'amour précipite la chute, le contact charnel hâte les désenchantements. Je ne veux pas faire l'amour avec toi, je ne veux faire l'amour qu'avec Felippe. Tu comprends, dis ? »

Puis, ce fut entre eux le silence. Normand regardait droit devant lui. La musique coulait, doux chuintement d'un ruisseau. Elle fut abruptement remplacée par un thème pompier. Et la voix du speaker mâle annonça : « Depuis trois semaines, l'hécatombe à West Point : des dizaines de milliers d'oiseaux migrateurs viennent agoniser sur les plages, atteints d'un mal mystérieux. Devant l'ampleur de cette catastrophe écologique, la réaction première a été d'accuser la pollution, une pollution exceptionnelle favorisant le développement d'un virus qui attaquerait des tribus de volatiles… » Ni Amparo ni Normand n'avaient entendu parler de cette épidémie. Ils commentèrent la nouvelle jusqu'à leur arrivée à Golden Beach.

À la sortie de la Nationale, une foule de curieux occupaient chaussée et trottoirs, ne laissant aucun passage aux voitures. Un deltaplane était accroché à un câble de lampadaire ; un homme suspendu par les épaules, pantin désarticulé, gigotait. Le spectacle qu'il offrait était grotesque. Dans la rue régnait une atmosphère de foire. Trois adolescents, vêtus de salopettes molletonnées, chaussés de baskets, entreprirent un numéro de *break dancing*, rythmé par un air à la mode, tonitruant, diffusé par un transistor. Le vacarme des sirènes d'un camion de pompiers accompagné d'une voiture de police vint mettre fin au happening. On dégagea le malheureux sportsman et la foule fondit comme par enchantement.

Normand trouva sans peine l'édifice qu'il cherchait, une de ces constructions modernes, haute de plusieurs étages, dont l'architecture audacieuse, le décor artificiel le désappointèrent. Elle faisait face à la mer, entre une vaste aire de stationnement et un terrain de golf. Un élégant portail de pierre donnait accès à un rond-point coiffé d'une voûte de béton. Des deux côtés, de vastes espaces d'un gazon si vert qu'on avait peine à le croire naturel ; çà et là des massifs de palmiers nains, d'hibiscus rouges, de bougainvilliers épanouis rompaient la monotonie de ce luxuriant tapis de verdure.

Dans le hall d'entrée, tout était flambant, propre, chromé. Une sculpture en acier placée au milieu d'une fontaine lançait vers les plafonds surélevés des jets d'eau qui s'entrecroisaient en une arabesque étrangement compliquée. Sur un tableau affiché dans ce vestibule, Normand trouva le nom de Ramon. Son appartement était au cinquième. En sortant de l'ascenseur, une vieille dame en bermuda et *strapless* fleuris, qui tenait en laisse un pékinois, les salua : « It's a nice day », avant de s'engouffrer dans la cage. Normand et Amparo enfilèrent le couloir et s'arrêtèrent devant la sixième porte, à droite. Elle était bien entendu blindée. À Miami, on vit dans la peur.

Simple, avec un plafond plutôt bas, l'appartement meublé de façon fonctionnelle, sans recherche aucune, était plus exigu que Normand ne l'avait préjugé. Une porte donnait sur la salle de bains, les autres étaient des battants de placard. Au téléphone Ramon ne lui avait pas mentionné qu'il s'agissait d'une garçonnière. Le studio n'avait pas cet air chaleureux et accueillant des demeures tropicales. Normand ouvrit fenêtres et portes-fenêtres pour éliminer l'odeur de renfermé et renouveler l'air. En faisant coulisser les grandes baies vitrées, le bruit constant du ressac mêlé aux cris paillards des mouettes éparses telles des corolles blanches flottant sur la mer, envahit la pièce. L'océan d'un bleu pur d'encre, gardait immuablement cette teinte jusqu'au moment de l'effondrement des vagues sur la plage. Le sable, le temps d'être léché par une langue d'écume, devenait gris, puis reprenait son éclat. Au-dessus de la ligne nette de l'horizon, le soleil encore haut miroitait dans un ciel sans nuages.

Amparo, après avoir laissé choir son sac, un grand fourre-tout, s'installa sur la moquette, les jambes allongées. Elle resta là, assise en silence, les yeux fermés, les mains grandes ouvertes, posées à plat sur ses cuisses que gainait un pantalon fourreau. Normand pensait s'installer à Miami pour un bout de temps. En un tournemain, ses valises furent défaites. Amparo, elle, dit ne vouloir suspendre qu'une ou deux robes dans la penderie. Quand elle ouvrit son sac, elle découvrit, posé sur les vêtements, cet album qu'une lointaine cousine, rencontrée à La Havane, lui avait offert en souvenir. Elle alla s'asseoir sur le canapé, fit glisser ses cothurnes de liège, prit une posture de yoga et déposa l'album entre ses cuisses. Elle invita Normand à le feuilleter avec elle. Il n'aime pas les albums de photos, il fallait se conduire en homme poli. Amparo bébé, joufflue ; Amparo faisant ses premiers pas sous les palmiers ; Amparo soufflant les bougies du gâteau de son sixième anniversaire ; Amparo en première communiante, une longue robe ouvragée blanche, un voile de tulle retenu sur le front par une couronne de fleurs d'oranger.

Pour mieux voir, la jeune femme détachait une à une chaque photo. Amparo adolescente, assise sur une balancelle, en robe de coton pastel à jupe évasée. La blouse très ajustée, laissait pointer deux petits seins déjà turgescents. Derrière elle, un homme d'une cinquantaine d'années, chauve, ventru. Il la tenait par les épaules, étroitement serrée contre lui. Un regard lascif, un nez camus, une bouche libidineuse : le visage tout entier portait les stigmates du dévergondage.

« Mon oncle, dit Amparo, le frère aîné de ma mère. » Elle ferma les yeux ; quand elle les rouvrit, deux ou trois minutes plus tard, ils reflétaient toute l'angoisse du monde. Un fragment du passé d'Amparo remonta ; elle le cracha d'un seul jet.

Au début de leur exil, le père d'Amparo n'avait pas eu beaucoup de temps à consacrer à son éducation. Dans cette tâche, son oncle, vieux garçon endurci, le suppléait. Ce célibat ne manquait pas d'étonner ses proches ; l'amour de son oncle pour les enfants était proverbial. Lors de ses visites quotidiennes, il extirpait de ses poches, véritables cavernes d'Ali Baba, des trésors de gâterie. Pour les lui offrir, il la prenait sur ses genoux et, tandis qu'elle enlevait délicatement les papiers de soie dont il enveloppait sucreries et colifichets, sa main velue rampait sous sa jupe. Amparo croit avoir toujours su, sans qu'il ait jamais eu besoin de le lui spécifier, que ce jeu devait être un secret entre eux. Elle se revoit encore le jour de ses quinze ans, le dos au mur dans cette chambre, seule avec cet homme que l'alcool, dont il avait tendance à abuser, avait mis dans un état d'excitation insupportable. « Donne-moi tes quinze ans. » Elle se défilait, se cabrait, ce qui ne faisait qu'attiser sa fièvre. Il avait tournoyé cent fois autour d'elle, cent fois elle lui avait filé entre les pattes. À la fin, ivre d'avoir tourné, elle lui a cédé. Le souffle d'un bœuf sur sa poitrine, des mains velues, vicieuses sur sa chair, de la bave sur son cou, sur ses seins, sur son ventre, partout, et cette voix qui gloussait. « Donne-moi tes quinze ans. » Puis il la chevaucha sauvagement, sa verge, une grue, lui laboura les flancs. Elle eut beau résister, mordre, griffer, rien ne le faisait lâcher prise. Il l'immobilisa avec ses genoux et son sperme jaillit en bourrasque, éclaboussant ses jambes et sa robe. Ce fut une boucherie.

Normand écoutait cette histoire ignoble dans son authenticité ; il eût souhaité qu'elle abrégeât. Il sursauta quand Amparo se mit à rire. « Qu'est-ce qui te fait rire, Amparo ? » demanda-t-il, perplexe. Il n'avait pas fini de poser sa question que dans un éclair soudain il comprit. Cette fille aux yeux trop grands, au regard dévorant, dissimulait son extrême vulnérabilité sous le masque du rire, une façon à elle de mettre un frein aux pulsions qui l'assaillaient. « Ce n'est rien ; des fois, je touche le fond de l'abîme, tout d'un coup. Puis, la minute qui suit, je refais surface. » Amparo se leva et se mit à marcher dans l'appartement, lentement, d'un pas silencieux. En fait, elle ne marchait pas, elle glissait, tournait sur elle-même, lentement, virevoltait, se balançait. Combien de temps cela dura-t-il ? Normand s'interrogeait encore sur cette réaction singulière d'Amparo quand il la vit se baisser, saisir son fourre-tout et entrer dans la salle de bains. Elle en ressortit une quinzaine de minutes plus tard, vêtue d'une courte tunique en soie blanche qui captait la lumière du soleil couchant, les traits dissimulés sous une épaisse couche de maquillage blanc qu'animaient seulement deux amandes entourées de longs cils noirs.

Elle était maintenant couchée sur le dos. Normand ne savait pas ce que ses yeux regardaient ni où ils regardaient. Était-ce la fatigue du voyage ? Il la voyait dans une brume qui n'était que le halo de sa beauté. À travers la courte tunique de soie, il pouvait contempler tout le corps. Normand regarde ce cou long et mince, la poitrine et les hanches, ces bras longs et fermes, ces jambes lisses.

Le plafond dans les yeux, elle dira, réfléchissant tout haut : « L'agression crée des gouffres affectifs chez les êtres qui en ont été victimes. La brièveté de la vie humaine ne nous permet pas de tirer de leçons de nos diverses expériences. Le temps de comprendre, il est déjà trop tard. Comment parvenir à maturité lorsque le jeu original est d'avance déréglé ? Après l'épisode de mon oncle, je suis restée des années complètement fermée sur moi-même, une huître ; je me méfiais de tous, parents, amis. Être figée dans cette impassibilité, cette raideur d'une détresse qui refusait tout remède devint intolérable. » Elle partit poursuivre de vagues études à Paris. Un jour, à la cité des Arts, elle avait rencontré Janush. Il était polonais ; bénéficiaire d'une bourse du gouvernement français, il pouvait se livrer sans restriction à ses activités de peintre. Il parlait polonais, baragouinait le français. Elle ne comprenait que l'espagnol et l'anglais. Aucun des deux ne parlait la langue de l'autre : typique dialogue Est-Ouest. Qu'importait ce manque ! Une langue commune n'est pas absolument indispensable à la prise des langues et l'emmêlement de deux vies. Janush était de ces êtres sensibles qui captaient intuitivement toutes les manifestations de la vie. Ils avaient fini par créer une langue médiane mâtinée de gestes et surtout de silences… Le silence fondait leur relation. Leurs échanges se situaient en deçà ou par-delà les langues, dans l'affrontement désespéré de deux impuissantes paroles en quête de vérités. Qu'importait ce manque puisque l'essentiel résidait dans leur immense capacité d'aller l'un vers l'autre, sans parachute, sans filet !

Amparo se souleva sur un coude et de sa main libre détacha la barrette qui retenait ses cheveux entièrement relevés en torsade sur le dessus de la tête, laissant à découvert ses oreilles, son cou gracile. Quand elle eut enlevé la pince, une cascade de cheveux noirs, libres, tomba sur ses épaules. « Avec Janush, l'aventure commençait dès le petit matin. Le ciel de notre lit figurait une carte du monde et chaque jour, Janush et moi nous nous réveillions sur un point différent de la planète. Certains matins, nous prenions le petit déjeuner à Sidney, le lendemain à Singapour, à New Delhi ou à Buenos Aires. Oiseaux migrateurs, nous traversions plusieurs fois le globe, faisions escale dans des contrées prodigieuses, visitions des pays de légendes et de merveilles : cratères éteints de la cordillière des Andes, Kilimandjaro aux neiges fumantes, Orient imaginaire. Nous revenions sur les ailes de midi, mourir sous les toits de cette mansarde de l'avenue de Wagram, à Paris, lovés dans l'été de notre édredon. »

Dans la chambre métamorphosée en temple, se déroulaient de grandioses cérémonies : ils se retrouvaient tour à tour officiants, chantres, diacres, répondants. Tantôt sur sa croupe nue ou son ventre en feu, en guise d'autel, Janush célébrait des messes ardentes. Tantôt vêtus de tuniques rouges, ivres jusqu'au délire, cheveux épars et chairs tordues, ils dansaient de furieuses baccanales aux banquets de cabalistiques sabbats. Les figures éoliennes qu'ils exécutaient, les cris et hurlements modulés sur toute la gamme qu'ils lançaient, composaient d'ineffables opéras-ballets. Sur le lit, plateau d'un fastueux chapiteau, se livraient d'antiques combats de gladiateurs. Tour à tour, l'un devenait lion pour l'autre.

Ils se grimaient belluaires ou rétiaires, se revêtaient de cuivre et de fer. Ils se battaient, le dos au mur, et le glaive passait au plus ras de leur cœur.

Elle était Messaline et l'avait sacré Empereur. Éphèbe grec, elle terrassait Omar le Noir et le sodomisait. Reine catin de Carthage, parée de mille pierreries, elle frappait jusqu'à l'extase Hannibal le conquérant. Ils appelaient à la rescousse tous les subtils stratagèmes de la volupté, toutes les fabuleuses magnificences de la déraison, pour s'aimer à cœur de jour et de nuit.

Puis, elle se tut. Normand ira s'asseoir aux pieds d'Amparo sur le canapé-lit. Elle sourit, transfigurée par la fièvre et l'exaltation. Terrifiante Amazone, Vénus callipyge, figure de la sensualité exacerbée. Toute la richesse d'un royaume pour la brutale douceur d'un colt ! Normand entendait battre son cœur, stridence de cigale, rosaire frotté entre les doigts. Il esquissa un mouvement vers Amparo, se ravisa. « Comment cela s'est terminé avec Janush ? » demanda-t-il.

La pénombre du crépuscule commençait à envahir la pièce. « Cela a été très simple. Un jour, on s'est quittés, le ciel de Paris était de cendre, fredonna-t-elle. Le lendemain, dans une aube nettoyée, j'ai pris l'avion pour Vancouver. J'ai mis la mer entre Janush et moi. » Amparo se leva, marcha jusqu'à la porte-fenêtre. Au loin, les eaux de la baie brasillaient, et les lumières, sur la petite île de Kay Biscayne, mille lucioles. L'amour, plongée vertigineuse au bout de soi-même, fait basculer de l'autre côté du miroir, à l'envers des certitudes. Amparo avait connu avec Janush des dépaysements innombrables, parcouru des trajets inédits. Ne s'était-elle pas engouffrée dans une voie sans issue ? Des années plus tard, qu'avait-elle gardé de cette traversée ? Presque rien : un sentiment d'inanité, un goût âcre, un étrange vide, la sensation d'avoir perdu son temps, d'avoir musardé en route. Ce n'était pas tout à fait exact. Elle n'avait pas à regretter cette saison. La fantaisie de Janush avait peuplé un instant sa dérive de passager immobile sur le pont d'un navire ensablé. Dans l'amour, dans le jeu mystérieux des corps, dans la foudre du désir, l'enjeu véritable, celui qui embrase chacune des rencontres, demeure la quête éperdue d'une part de soi-même, depuis longtemps oubliée.

À la télévision le journal de vingt-deux heures parlait des Contras, des Fedayins, des Mujahidins, tandis que défilaient des paysages jonchés de cendres ; terres, fleuves, villes étaient changés en champs de carnages où triomphait la mort. Jordaniens et Israéliens avaient encore tenté d'anéantir leurs querelles sous le grondement des canons, les sifflements des balles. Normand écoutait distraitement les nouvelles de la planète cloutée d'affrontements, quand des images familières attirèrent son attention : la carte de sa moitié d'île, le palais national, le couple présidentiel, lui, le visage affaissé, elle, le sourire crispé, les yeux déjà nostalgiques du temps où elle ne se consacrait qu'à sa beauté, à sa jeunesse, à ses amants. Une voix mâle faisait le compte et le décompte de trente années de calamités ; déboulèrent alors des indicateurs de tendance, l'eau et le pain, l'énergie et la tenure de la terre, le travail et la santé, tout ce qui fait la vie ici-bas. À force de confondre leurs comptes personnels et ceux du trésor public, le couple présidentiel avait plongé le pays dans du sable mouvant ; s'il parvenait à s'en tirer, ce serait la gueule pleine de boue. Tandis que le président tentait de nier la réalité de ses comptes en Suisse, à ses côtés, sa femme restait silencieuse, des yeux noirs durcissant les traits de son visage anguleux. Retraçait-elle dans sa tête l'itinéraire qu'elle avait parcouru du jour où elle était revenue dans la capitale après avoir exercé la profession de call-girl à New York ? Revoyait-elle ces tapageuses soirées où elle avait dansé, tournoyé, dans les bras de comtes déchus, de ramasseurs de carats, collectionneurs de toiles de grands maîtres, cueilleurs de feuilles vertes ?

Sur l'écran, aux images de l'île, succédèrent des centaines de cadavres d'oiseaux aquatiques jonchant une plage de Floride. Trois spécialistes réunis en studio apportèrent leur point de vue sur ce phénomène jamais encore constaté aux États-Unis. L'un d'eux, que l'animateur présenta avec beaucoup de déférence, un savant reconnu, directeur du Museum National d'histoire naturelle, affirma de façon catégorique qu'il fallait écarter tout de suite l'hypothèse de l'épidémie régulatrice d'une population en surnombre, qu'avaient avancée certains zoologistes. « À chaque tempête, expliqua-t-il, les oiseaux de haute mer souffrent de malnutrition. Ils ne trouvent plus de quoi se nourrir. Si le mauvais temps se prolonge, c'était le cas ces dernières semaines, les oiseaux maigrissent, s'épuisent à lutter et, finalement, se laissent porter par les vents dominants. »

Cette explication fut confirmée par un nommé Harry Fiteman, vétérinaire du laboratoire central de recherche océanographique. « À l'autopsie, on est frappé par la maigreur des oiseaux. Les muscles du bréchet sont épuisés par le vol, les estomacs, vides. Une tempête exceptionnelle dans un océan largement pollué ne peut être que dévastatrice pour des oiseaux du grand large. » Un expert en pathologie aviaire nuança ce diagnostic : « La tempête, dans certains cas, peut n'être que le facteur "déclenchant". Les déchets flottants qui s'agglutinent pendant les périodes de calme se mêlent à la nourriture des oiseaux. Ainsi, ces derniers sont contaminés par les polluants normalement épars dans l'océan. Il est possible que les produits toxiques qu'ils ingèrent au fil des ans soient stockés dans leur graisse et réintroduits à haute dose dans le reste de leur organisme lorsque ces animaux puisent dans leurs réserves pour survivre. Cela aurait pour effet d'achever les plus faibles. » L'animateur s'étonna d'une conclusion si lapidaire : « Le rôle de nos centres de recherches et de protection aviaires n'est-il pas de prévoir ces phénomènes et de mettre en œuvre des mécanismes capables d'éviter ces catastrophes ? » Le débat télévisé battait de l'aile. Amparo et Normand, somnolents, vaincus par la fatigue du voyage, décidèrent d'éteindre le poste. Ils transformèrent le divan en lit. Amparo s'endormit la première. Normand suivit quelque temps le rythme de sa respiration. Il ne pouvait s'empêcher de trouver étrange — mais cela l'était-il vraiment ? — qu'Amparo lui ait livré tant de renseignements sur sa vie. Dans l'obscurité de la pièce, Normand sent la mer et son souffle de bête sauvage. Il voit danser devant ses yeux la salive des écumes, la cambrure de la grève, tout un fourmillement d'images souvenirs sous le rythme des vagues, d'images-ponts que l'adulte traverse pour rejoindre l'enfant déjà de santé fragile, courant après Ramon le long d'une immense plage de sable blanc. Les voici, deux ombres muettes nageant entre les rochers, le corail et les algues, glissant d'une brasse paresseuse vers les fonds où ils pistent le crabe et le caret. Jeunesse et fougue les irriguent. Ils boivent le sel de la mer ; ils mangent l'épouvante quand, par temps d'orage en colère, piaffent des flots sauteurs, pareils à un troupeau de zèbres en rut. Danse des vagues ! La fièvre des départs emporta Ramon. Voyageur de l'exil ! Voyageur sans retour. Le jour d'après et les autres, combien d'autres ? il s'était assis des journées entières dans les arbres, contemplant jusqu'à la tombée de la nuit le spectacle des piroguiers vaquant à leurs tâches quotidiennes. Foisonnement d'images sur fond d'odeurs marines et de bruits de brisants. La silhouette du père, un grand corps silencieux écroulé dans une flaque de sang, les sanglots d'une mère réfugiée derrière une vitre de solitude, les yeux brûlés d'insomnie. Normand fixe la vague qui monte puis se retire, et il s'endort tout doucement.

III

MOUETTES DES SABLES ENTRE CIEL ET TERRE

TÔT, dans l'avant-jour, ce vieux loup de mer d'Amédée descendit d'un pas calme vers la grève. Je ne tarderai pas à l'y rejoindre. D'un large coup d'œil, il apprécia le moutonnement des vagues et mesura la force du vent en écoutant sans paraître y prêter une attention particulière le clapotis de l'eau contre les mangroves et la clameur des mouettes, certaines rassemblées sur le rivage, d'autres éparpillées sur la mer en petites troupes avides.

Ce fut Noelzina qui arriva la première. Après nous avoir embrassés, elle fouilla dans ses bagages et sortit une dame-jeanne de rhum vieux qu'elle tendit à Amédée. Celui-ci s'appliqua à le goûter à même le goulot, tout en prodiguant des compliments à Noelzina sur sa nouvelle coiffure, le cristal de ses yeux, sa robe fleurie. Il appréciait son parfum de frangipane à griser tout nègre vaillant, à enlever son cœur sans lui ouvrir la poitrine. Tout autre que lui aurait dégusté sur l'heure cette canne créole. Vieux cabotin à bouche mielleuse, va !

Puis ce fut le tour d'Hiladieu Datilus et d'Odanis Jean-Louis, avec femmes et enfants. Après un bref conciliabule, les trois hommes décidèrent de baptiser le bateau : *La Caminante*. Séance tenante, ils griffonnèrent d'une main hâtive, dans la clarté de l'avant-jour, à l'aide d'un pinceau et d'un restant de peinture, ce nom en lettres majuscules sur la coque du bateau. Les autres passagers arrivèrent ensuite. Au total, soixante-sept, des hommes fringants pas possible, des fraîcheurs de femmes en œuf d'oie, des enfants à peine plus hauts qu'une haie d'hibiscus nippés à neuf en petits jours-de-l'an…

J'ignore les dimensions réelles qu'avait *La Caminante*. Je peux vous affirmer, mon bon monsieur, qu'elle avait trois mâts et sentait le chanvre et le goudron. La grand-vergue était plus haute que la longueur du bateau et la misaine dont elle était dotée aussi longue que la proue. Les deux autres mâts étaient gréés, eux aussi, de voiles de bonne dimension, enfilées à des haubans à poulie. Nous avions brodé sur la grand-voile un portrait de saint Jacques le Majeur et sur les deux autres des vêvês figurant la Sirène et autres dieux et déesses du vent et de la mer. La coque ventrue à souhait, en cèdre du Liban s'il vous plaît, était dotée d'un fond plat fait de planches posées bord à bord et calfatées.

Amédée le voulait ainsi pour bénéficier d'une cale suffisamment large qui laisserait de la place aux femmes, aux enfants et aux vivres. Nous n'avions pas ménagé sur les chevilles et les boulons de fer. À l'arrière, un énorme aviron servait de gouvernail et six autres à franc bord pour pouvoir remorquer si, par déveine, il nous arrivait de frapper le calme plat. À Noelzina qui lui demandait à quoi servait tout cet attirail, Amédée répondit : « Ils nous aideront à avancer quand on rencontrera les vents arrière fréquents en haute mer. Ainsi, nous ne serons jamais à la merci du temps, quel que soit le vent. *La Caminante* sera à toute épreuve et si, par bonheur, nous rencontrons des vents debout, nous pourrons aller jusqu'en Guinée, si le cœur nous en dit. » Amédée avait parlé, nous allions serrer le vent, fendre le vent.

Nos compagnons de voyage avaient emporté, en plus de leurs effets personnels, un volume impressionnant de victuailles : de l'eau douce en quantité suffisante pour un an, car disaient-ils, même si le déluge arrivait, ils doutaient qu'il soit suffisant pour dessaler l'eau de mer ; du bœuf salé, des animaux vivants : poules, coqs, cabris, moutons ; du pain bien boulangé pendant deux jours et deux nuits ; du maïs, du petit-mil, des haricots rouges secs, des feuilles pour les tisanes capables de guérir tous les maux. Rien ne semblait devoir manquer. Quand le chargement fut en place, Hiladieu fit une ultime vérification. « Puisque ce bateau devient à partir de ce jour notre demeure, autant s'assurer que s'y trouve tout ce dont nous aurons besoin pour vivre », nous expliqua-t-il ; et ce tout occupait un volume considérable.

La Caminante fut roulée vers la mer, à l'aube, par un temps de brise, je m'en souviens, le jour de la fête des Rois. On ne tarda pas à larguer les amarres. Il fallait se dépêcher avant le réveil des senteux, des mauvais yeux, des judas-mal-parlants, des divulgateurs de secrets et des rapporteurs d'affaires. Le soleil n'avait pas encore levé ses yeux que déjà nous avions quitté l'estuaire et mis le cap vers le nord.

Nous étions favorisés par la position de Port-à-l'Écu. Même si le relief offre un aspect peu hospitalier, la distance d'avec la haute mer était facile à maîtriser. On est loin de l'anse qui reçoit, de plein fouet, la houle des vagues plus hautes des fois que les cases. Les fonds étaient sans écueil et le sable abondant permettait de pousser le bateau facilement jusqu'en haute mer.

Depuis la mort de son fils fauché sur la grand-route par une jeep, Noelzina supportait difficilement la présence des enfants autour d'elle, elle leur en voulait ; submergée par une rage jalouse, elle ne parvenait pas à leur pardonner d'être, eux, vivants. Aussi, dès que le bateau leva l'ancre, elle se réfugia à l'arrière, loin de leurs jeux et de leur surexcitation. Nous l'y avions rejointe, Adélia et moi. Non loin de nous, la fille d'Hiladieu, une adolescente d'une quinzaine d'années, tripatouillait une radio transistor en fredonnant d'une petite voix de fausset : « Noé, amène-nous dans ta maison… » Le timbre d'un speaker noya sa voix. Il parlait d'une leçon de courage donnée par un aveugle qui s'apprêtait à partir de San Francisco pour traverser en solitaire le Pacifique. Interrogé sur la façon dont il s'y prendrait pour réaliser un pareil exploit, l'aveugle avait expliqué que, muni de cartes et de compas en braille, d'un ordinateur parlant qui lui indiquerait ses différentes positions, il pourrait assez aisément manier ses voiles et diriger son embarcation. Nous commentions cette nouvelle, décelant un heureux présage dans cette coïncidence qui nous avait fait entendre ce reportage au moment même où nous mettions les voiles, en regardant la côte s'éloigner. En deux temps trois mouvements, elle semblait déjà loin, bleutée par le beau temps.

Adieu Port-à-l'Écu, terre jadis si belle, si grasse, si bonne pour planter, pour semer, pour élever le bétail ; si bonne pour nourrir le hameau et même tout le village. Adieu Port-à-l'Écu, terre défunte ! On prétend que Port-à-l'Écu doit son nom à cette légende d'un galion portugais qui, au temps lointain de la colonie, avait échoué sur ses côtes. Les marins, dit-on, y avaient transporté les écus d'or et d'argent dont il était chargé et les avaient enfouis on ne sait où. Puis ils sont partis chercher du secours ; ils ne sont jamais revenus. Personne n'a jamais pu repérer l'emplacement de ce trésor ; et l'on connaît bon nombre de notables de Jean-Rabel qui ont perdu beaucoup d'argent à sonder, creuser, fouiller pour le trouver. Adieu trésor de Port-à-l'Ecu !

S'arracher à la terre où l'on est né ! Il soufflait sur nous un air de nostalgie, de regret et aussi d'angoisse devant l'inconnu. Seul Amédée gardait son calme, sa sérénité. « Au fond, dit-il, la traversée de la Caraïbe n'est pas plus difficile que la route qui mène de Port-à-l'Écu à Jean-Rabel, et encore, il n'y a pas de mornes où l'on risque de caler, pas de falaises où le faux pas nous fait basculer. Rien que de l'eau à courir ; si le vent fait sa mauvaise tête aujourd'hui, on est certain qu'il sera de meilleure composition demain. Que souffle le vent ; il suffira de se mettre sur son passage, d'être piège à vent, jouet du vent, guet du vent. » D'un regard tranquille, il embrassait l'horizon. « Eh ! oui, enchaîna Adélia, bon vent pour donner dos à ce pays de malédiction. Plutôt la mort que cette vie, l'échine courbée, cette vie mouvement gratuit, somme nulle. D'autres, avant nous, ont eu assez des réveils aux petits matins noyés dans la puanteur, assez de voir des enfants au ventre ballonné, outres gonflées, assez des disparitions, des emprisonnements, des humiliations quotidiennes. Ils ont pris la mer. Depuis, ils n'ont pas donné de nouvelles, ils sont certainement arrivés à destination : pas de nouvelles, bonnes nouvelles ! »

Pauvre Adélia ! Elle ne savait pas, au moment où nous prenions la mer, ce qui nous attendait au bout de la traversée. Plus tard, plus triste, dit le dicton. Nous avions devant nous quatre à cinq semaines de traversée. Une éternité pour des gens habitués à vivre en sédentaires sur leur lopin de terre. Nous étions absolument ignorants des choses de la mer et nous étions conscients de notre ignorance. Nous voulions entreprendre ce voyage, convaincus que la vraie vie se trouvait de l'autre côté de l'eau.

Les premiers jours s'écoulèrent sans incidents. En mer, les journées passent vite, remplies d'une foule de petites activités modulées par une cadence qui rend impossible toute tentative d'en rendre compte. Comment décrire une journée en mer ? Raconte-t-on la résonance d'un rythme de tambour au creux des reins ? En mer, l'esprit perd son impatience. Les journées se répètent monotones : une seule et même journée, s'étendant à l'infini. Elles étaient marquées par des temps pleins, ceux du réveil, des repas et des temps creux, vides, ceux de l'après-midi : nous nous réfugiions dans la cale, seul endroit frais contrastant avec la fournaise du pont. Plus l'agitation de la journée avait été trépidante, plus absolu était le calme dans la cale obscure, enveloppée de silence.

Noelzina et moi étions toujours les premières debout, avant l'aube. Nous aimions particulièrement cette heure où les dernières étoiles s'effaçaient, où l'horizon se précisait. En attendant que l'eau du café ait bouilli, nous regardions, appuyées au bastingage, le soleil ouvrir ses yeux. L'aurore dans sa gloire, lueur d'un morceau de paradis, éclat de cristal, colorait de teintes irisées la surface immobile de la mer. Une nouvelle journée commençait.

Salut matinal des mouettes qui tournent autour de *La Caminante,* rasent la grand-voile, disparaissent dans un creux de vague. Honneur pour Amédée en grande forme, au petit matin, seul maître à bord après Dieu. Respect pour Amédée qui avait veillé pendant que les autres dormaient à poings fermés. « L'océan réserve des surprises, me disait-il ; n'importe quoi peut survenir au moment où l'on s'y attend le moins. » Il restait toute la nuit à la barre, épiant les vagues, les esquivant au besoin, vivant en intimité totale avec les vents qui nous poussaient, les étoiles qui nous guidaient. Fierté de mon nègre au point du jour ! Il savoure l'aube avec le sentiment de plénitude de l'homme conscient de ses responsabilités, qui a conduit son navire à travers la nuit, vers le jour nouveau.

Le premier soir en mer, il a fait très beau. Le soleil ne finissait pas de se coucher. Dans l'embrasement du ciel, les nuages, cotonneux l'instant d'avant, avaient emprunté les sept couleurs de l'arc-en-ciel. Peu à peu, le crépuscule lentement avait pris possession de la mer. Nos compagnons de voyage, ivres de grand air et de liberté, sans contrainte, sans peurs, se ramassèrent sur le pont pour le premier repas en mer : chiquetaille de morue, bananes vertes, avocats, sauce ti-malice. Les hommes l'avaient arrosé avec force rasades de clairin. De leur bouche bien déliée fusèrent des plaisanteries, des histoires riches d'aventures, de sels et de brouillards.

Amédée, debout près du gouvernail, ne participait pas à cette liesse. Silhouette sombre engoncée dans un béret marin et un vieux paletot ciré, il se confondait avec la nuit. « Un coup de café, mon nègre ? » lui ai-je proposé. Il me prit dans ses bras : « La nuit, en mer, est une merveilleuse complice, bien qu'elle recèle des pièges déroutants. »

Je garde souvenance de ces premières nuits, douces, chaudes, étoilées, arrivant après des journées torrides. Nuits éblouissantes de lune ! Ponts, gréements, voiles baignaient dans une lumière blafarde. Nuits exceptionnellement phosphorescentes. Amédée au gouvernail, moi à côté de lui, tous les soirs, à la même heure. Les conversations des hommes, le vacarme des enfants, les rires des femmes nous arrivaient par poignées. Et puis, le silence, quand tous descendaient à la cale. Il n'était troublé que par le bruit sec d'un poisson volant coupant le chant de l'eau le long de la coque ; ou encore le toussotement d'un troupeau de dauphins. Ils traçaient dans la nuit des sillages de feu, se précipitaient, atteignaient le ras du bord, passaient sous la quille, faisaient tanguer *La Caminante.* La nuit, il existait une étrange complicité entre bateau, dauphins, Amédée et moi. Parfaitement, mon bon monsieur ! Nuits grandioses ! Paix du bon ange !

La Caminante vogua ainsi dix-huit soleils et dix-huit lunes, grand large. Cormorans royaux, oies sauvages, pélicans voyageurs tournoyaient au-dessus de nos têtes. Amédée, qui avait connu toute la gamme des humeurs océanes, qui avait franchi les mers les plus rudes, les distances les plus considérables, subi l'envoûtement de la Sirène, savait qu'il devait compter avec l'inconnu, un inconnu que les voyageurs, devant la monotonie de la traversée, commençaient aussi à redouter. Le jour, ils s'affairaient à mille besognes, et quand le soir tombait, ils entraient dans un état d'inquiétude fiévreuse. À plusieurs reprises, j'avais surpris leur regard fixé avec angoisse sur Amédée qui feignait de ne pas s'en apercevoir. Le pont ne résonnait plus de l'éclat de leurs voix, de leurs rires. Il était abandonné au silence, un silence lourd entrecoupé de toutes sortes de bruits, de cris. En mer, on entend même des braiments d'ânes. Jour après jour, le moral baissait, surtout quand l'aube apportait la vision d'un horizon vide où ce qu'on croyait être la terre se révélait n'être que le ciel et encore le ciel. Aïe ! l'amère et cruelle déception quand nos compagnons se rendaient compte qu'ils avaient été victimes d'un mirage. Déjà dix-huit jours qu'ils voyageaient vers une destination inconnue, sans rien pour entretenir leur espoir, que des algues et des oiseaux qui semblaient venir de nulle part.

Nous étions au vingt-deuxième jour de la traversée. Vingt-deux jours ! Comme le temps passe ! Calme plat au point du jour. L'aube était maussade. Pas un souffle ne venait plisser la surface blanchâtre de l'océan. Amédée gardait les yeux ouverts, des yeux douloureux d'avoir trop scruté les ténèbres. Moins loquace qu'à l'ordinaire, abîmé dans une profonde réflexion, il maintenait les dents serrées. Devant ce mutisme persistant auquel je n'étais pas habituée et que j'avais d'abord décidé de respecter, je lui demandai, n'y tenant plus, ce qui le tracassait. Il esquissa un hochement de tête vers la mer, et d'une voix caverneuse qui exprimait toute l'inquiétude du monde, il me livra en un souffle les réflexions que lui inspirait cette mer immobile sur laquelle *La Caminante* semblait figée. « J'ai l'impression d'être une fourmi cramponnée à un fétu de paille. Cette eau ne mouille point. » Il releva la tête, huma l'air. Des nuages lourds passaient par petits tas, abritant le vol chamailleur des mouettes. « Il faudra s'attendre à du mauvais temps. »

À chaque fois que le malheur, la mort nous font signe, nous évoquons le Grand Maître, celui qui ouvre toutes les barrières, qui montre le chemin dans la nuit. Nos prières l'atteignent dans sa demeure, grotte où nul n'a le droit de pénétrer. Cette caverne sacrée où des abeilles nourricières engrangent un miel de feu se situe dans les profondeurs sous-marines. De là jaillissent par mauvais temps des flammes blanches d'écume dont les yeux peuvent à peine supporter l'éclat plus d'un instant. Combien de marins, d'équipages engloutis en un clin d'œil dans ce bouillonnement de flots en fureur ? Si Amédée disait vrai, il fallait sans tarder organiser une cérémonie, seule façon d'apaiser la colère du dieu de la mer, Agoué, ce vieillard irascible, vindicatif et dangereux. Il fallait sans plus tarder apaiser la faim, tempérer la soif du dieu des eaux.

Les femmes préparèrent le traditionnel plateau de victuailles ; il manquait bien quelques éléments impossibles à trouver en mer, mais nous avions compensé en offrant nos plus belles bananes, les patates douces dodues à souhait, le bœuf salé grillé et les bouteilles de notre meilleur clairin. Se mouvant au rythme intermittent d'un tambour que Derville avait sorti dieu sait d'où, Odanis Jean-Louis avait tracé sur le plancher du pont, avec de la farine, les emblèmes du Maître suprême : ancres, rose des vents, bateau décoré de branches de palmistes, voiles ornées d'un cœur transpercé. Il avait dessiné aussi le portrait de la maîtresse de l'eau, moitié femme, moitié poisson.

Une dizaine de femmes revêtues de tuniques blanches avaient, en procession, quitté la cale pour monter sur le pont. Elles chantaient en chœur des louanges aux dieux, les convoquaient à notre cérémonie. Nègres de toutes les nations : Nègre Rada, Nègre Pétro, Nègre Ibo, Nègre Nago ! Nègres de toutes les nations : Nègre Mandingue, Nègre du Sénégal, Nègre du Congo, Nègre du Dahomey ! Nous nous inclinons de corps et d'esprit. Nos os marchent, marchent et marchent. Nous appelons tous les esprits de l'Afrique. Maîtres de nos démolitions. Ils répondront si Dieu le permet.

Elles chantaient avec des mots venus des lointains pays du royaume d'Arada, ces mots qui avaient voyagé, ces mots de la grande transhumance, échoués sur les rives de notre malheureux pays, ces mots qui avaient traîné de bouche en bouche, mâtinés par le pollen des âges et qui ont largement fondé notre entendement de peuple. Les chants rappelaient des événements oubliés du monde. Les dieux répondraient-ils à notre appel ? Sous quelles formes se manifesteraient-ils ? Vous le savez, mon bon monsieur, les dieux choisissent eux-mêmes leurs serviteurs, leurs montures. Et nous, pauvres mortels, nous n'avons qu'à nous laisser chevaucher.

À l'aide de bougies allumées, les femmes avaient tracé un grand cercle, puis s'étaient prosternées jusqu'à baiser le plancher. Maintenant, assises autour des bougies, elles se balançaient au rythme du tambour que caressait Derville en psalmodiant à voix très basse une litanie. De la vaccine, trompette de bambou que soufflait Hiladieu, le ventre crispé à cadence de marteau-pilon, sortaient des sons capables d'atteindre l'arc-en-ciel. À sa façon, il conjurait cette peur qui se dressait dans la nuit. Odanis Jean-Louis dansait au milieu du cercle. Son corps à demi nu, porté par des jambes grêles, se pliait et se dépliait en ailes de cigale. Tantôt il tendait ses paumes vers le ciel, en un geste d'imploration, psalmodiant des prières dans une langue jamais apprise et que pourtant, nous comprenions ; tantôt il entrechoquait la paume d'une main sur le dos de l'autre, dans un claquement rythmé.

« Puisque tu ne peux nous épouser toutes à la fois, choisis l'une d'entre nous, Grand Maître. Dans les profondeurs de la mer, dans ta demeure Nan Zilé, elle te suivra », suppliait le chœur de femmes. Noelzina fut la première à se lever, en transe, titubant, chancelant, se redressant, accentuant la courbure de son corps en insolence de jument rebelle, tordant sa colonne vertébrale comme se tortillent les anguilles.

Je ne vous ai pas beaucoup parlé de Noelzina, monsieur. Elle était la fille de Dieusifait et de Marie-Ange, nos plus proches voisins. Elle allait tout juste sur ses seize ans, quand sa mère mourut, lui laissant son commerce itinérant. *Madan-Sara,* elle parcourait le pays, du nord au sud, véritable oiseau migrateur, revendant ici la marchandise achetée là. Un jour, elle est revenue d'un de ces voyages qui l'avait conduite jusqu'à l'extrême pointe de la presqu'île de Jérémie, enceinte. On n'a jamais su qui était le père de son petit garçon. Quand il mourut à l'âge de huit ans, elle décida de quitter à jamais ce pays de malédiction. Je vous ai déjà raconté, mon bon monsieur, comment, par deux fois, elle avait tenté de s'échapper, sans succès. La deuxième fois, elle avait perdu tout ce qui lui restait de biens, et s'était retrouvée en prison. Ce séjour à la capitale l'avait transformée. Elle en était revenue mûrie, épanouie, flamboyant en fleurs de la fête Dieu, orchidée sauvage narguant deux bourdons par temps frais de janvier. Elle se savait belle et promenait sur les hommes qui l'accostaient, narines ouvertes, un regard chargé d'arrogance. La lèvre supérieure retroussée sur un chuintement de mépris, elle les assassinait par des réparties cinglantes.

Une nuit hors temps. Un ciel immense, immobile enveloppait le bateau. Je regardais danser Noelzina avec l'étrange sensation de la voir pour la première fois. Elle tournait sur elle-même avec des gestes un peu désarticulés, elle projetait son bassin avec force, ondulait des épaules, frétillait ; tandis que son buste, tige d'hibiscus malmenée par le vent, se ployait et se déployait ; ses pieds martelaient le bois dans un mouvement de plus en plus rapide. Jamais je n'avais vu danser avec un don si expressif du corps. Elle se baissait dans un mouvement giratoire des fesses et du ventre, jusqu'à toucher du dos le plancher du pont, ses bras se levant et s'abaissant en ailes de colombe. Battement d'abord sec du tambour, suivi d'un roulement grêle ; puis un grand coup, tonnerre brutal, Noelzina se redressa dans un oscillement lascif des hanches. Sa danse dégageait une étrange sensualité, prélude de l'accouplement avec le maître de l'eau. « Abobo, versez l'eau ! » cria l'assistance. Odanis Jean-Louis saisit la cruche. Par trois fois, il jeta de l'eau. « Nous ouvrons la barrière pour que tu viennes parmi nous, Ô Dieu, nous ouvrons les portes pour que tu puisses pénétrer », chantait le chœur des femmes.

« Foutre ! » dit une voix rauque venant du pont arrière. « Foutre tonnerre ! » ponctua l'assistance. « Foutre tonnerre ! » reprit la voix, une voix caverneuse, venue du fond des âges. L'écho la roule, la fait circuler. Virile, elle domine le vacarme du tambour et de la vaccine. Les traits sont indiscernables sous le chapeau haut-de-forme. Paroles hachées, gestes lents et graves, violence sourde. L'esprit crachait la vie à la face de la mort qui rôdait autour de nous. Le tambour changea de rythme.

Revenait-il de quelque soirée où l'alcool avait coulé à flots, et les femmes, et les jeux ? Chapeau haut-de-forme bosselé, redingote rapiécée, œillet séché à la boutonnière, une tige de jonc à la main, badine, canne ou épée, le dieu escaladait les dernières marches conduisant au pont. Silence de tambour et de vaccine. Les yeux levés vers le ciel cherchant l'inspiration de quelque étoile, il incarnait une splendeur défunte. Faste de l'usure ! Une élégance dans un désastre ! Ivre, lubrique, le vagabond pose ; il figure le gentleman. Le regard descend lentement sur l'assistance recueillie. L'homme-dieu prend possession de son auditoire. Inflexion dolente du tambour ! Il relève Noelzina à demi écroulée, se colle à elle. Leurs hanches tournoient en un incessant va-et-vient. Ils dansent une danse de haine-amour, manifestant une vigueur, une voracité dans cette relation hors du monde. Leurs pieds, leurs mains sont doués d'une vie propre, leurs corps essuient une tempête. Amédée, enfant, vieillard, sauvage, civilisé, cumule toutes les figures de l'indompté, de l'insoumis.

Sur *La Caminante*, toute trace du réel s'était effacée ; nous n'étions nulle part. Nous avons chanté et dansé jusqu'à l'aube. Saturés, nous avons dormi sur le pont, d'un sommeil profond, jumeau de la mort, échoués sur une mer immobile. Combien de temps ? Je ne saurais vous le dire. Deux jours ? Trois ?

IV

LA MER, LA PLAGE, L'ÉPOUVANTE

TÔT, le premier matin, Normand fut réveillé par le piaillement des mouettes auquel se mêlaient les bruits de la circulation, un bruit sourd, une rumeur tenace. Bêlements de l'autoroute encombrée, grondements de poids lourds, grincements d'essieux de camions à ordures pénétraient par la porte-fenêtre ouverte. Normand la ferma. Les bruits extérieurs furent remplacés par le bourdonnement monotone, lancinant du réfrigérateur, amplifié par l'exiguïté de l'appartement. Normand et Amparo ramassèrent rapidement leurs accessoires de plage, projetant de s'abandonner toute la journée à la caresse des vagues. Avant, ils feront escale au restaurant du coin de la rue, aperçu la veille.

En poussant la porte d'entrée, Amparo et

Normand furent accueillis par une cacophonie. Ils comprirent très vite qu'il s'agissait de touristes québécois, retraités qu'un itinéraire classique avait conduits jusqu'à Golden Beach. On leur avait promis que l'air chaud et sec de la Floride serait bénéfique pour leur rhume d'hiver, leurs rhumatismes articulaires, leur santé défaillante. À vue d'œil, la moyenne d'âge approchait de soixante-dix ans. Ambiance étrange où la mort flottait dans les haleines parfumées, brisait les relents médicamenteux. Vulgaire, elle s'étalait dans le corps délabré de cet homme qui errait en bermuda et babouches, à la recherche des toilettes pour hommes. Insolente, elle bariolait d'atours criards, des élégantes aux chairs lasses, *myladies* des années cinquante, fardées, poudrées. Obsédante, elle faisait partie de toutes les conversations dont les bribes tombaient dans les assiettes, en plein dans l'œuf au miroir, à côté des toasts, du bacon grillé et des pommes de terre rissolées. Ils croyaient avoir trouvé le jardin d'Éden, la fontaine de Jouvence. La mort, cette vieille catin sans pitié, était là, tapie sous cette apparence de vie, promenant son mufle optimiste et glacé.

« Tiens, tiens ! N'est-ce pas ce vieux baroudeur de Normand ? » Celui qui apostrophait ainsi Normand appartenait à l'espèce rougeaude, un presque albinos, les yeux vifs, les cheveux poil de carotte. Il avançait d'un pas leste, affichant un large sourire sous une moustache crépue, des lèvres lippues, une bouche ardente, meublée de dents carnassières bien plantées, bien rangées dans des gencives violettes. Au jugé, il se présentait à l'aise dans sa peau et dans l'époque. Vêtu avec recherche, un chic certain, agrémenté d'un brin de négligé, signe d'une préparation méticuleuse, soignée, il arborait l'air conquérant, léger, insolent de ces caresseurs de vie où qu'elle bouge, où qu'elle vive. Normand le reconnut aussitôt. Ils se donnèrent l'accolade avec force tapes dans le dos, accompagnant immédiatement leurs retrouvailles de plaisanteries salaces, d'attaques et de répliques licencieuses. Le dialogue, tout de suite : un feu nourri de souvenirs, oublieux de la présence d'Amparo qui buvait à petites lampées son café. « Tu te rappelles ce bistrot de la rue Saint-Denis ? » demanda le rougeaud en prenant une cigarette du paquet déposé sur la table. Amparo remarqua ses doigts félins, la large gourmette d'or qu'il portait au poignet droit, la chevalière gravée à ses initiales. « Tu te rappelles ce bistrot où, avides de chair neuve, nous allions traîner jusqu'à l'aube ? » Normand s'en souvenait. Ils jouaient à qui raconterait aux femmes qu'il levait l'histoire la plus rocambolesque, la plus invraisemblable, histoires des forêts vierges, retentissantes de cris d'animaux, histoires puisées aux confins du dicible, histoires de villes fabuleuses dont les rues s'animaient de lions, d'éléphants, histoires où des filles croyant s'asseoir sur des bancs publics, s'asseyaient sur des crocodiles qui se doraient au soleil, à l'heure de la sieste, histoires qui finissaient toutes par des figures d'étalons montés sur des juments, de taureaux accomplissant dans la plaine leur fonction de mâles. Amparo écoutait à moitié crédule. Elle riait du rire des femmes qui écoutent les machos dans les bistrots. « Dieu ! quel goujat je fais ! je ne me suis même pas présenté », dit alors le rougeaud, qui feignit de ne se rendre compte qu'à ce moment de la présence d'Amparo. « Youyou, pour vous servir, madame. J'aime entendre le rire des femmes. Nous, les spécialistes de la drague, nous savons que les yeux sont les fenêtres de l'âme. Le rire ouvre la porte du désir. » Amparo continuait à rire, d'un rire débordant de gaieté, de joie de vivre. « Moi, créature de la jungle, armé de flèches et l'arc tendu, je guette le moment fatidique où le rire devient désir ; et quand cela se passe, quel instant divin ! Vous ne pouvez pas savoir quel délicieux instrument est la femme quand on en joue avec art, vous ne pouvez savoir. Elle peut produire la plus exquise des harmonies, exécuter les variations les plus complexes et procurer les plus divins plaisirs. »

Amparo regarda Normand les yeux écarquillés. « Ces femmes ne s'inquiétaient pas de savoir de quel pays vous veniez ? » demanda-t-elle. Le grimaud exécuta une pirouette qui le plaça à côté d'Amparo. « Si, cela prouvait, à l'évidence, qu'elles avaient mordu à l'hameçon. Notre réponse dépendait du jour de la semaine. Le lundi, on était nés au bord du fleuve Congo et nous passions nos nuits d'insomnie en compagnie de lézards géants, mangeurs d'hommes ; le mardi, nous étions malgaches ; le mercredi, peuhls de pure race, nomades traversant des déserts de soif ; le jeudi, éthiopiens ; le vendredi, zimbabwéens ; le samedi, soudanais de Kartoum ; et pour vous, madame, aujourd'hui, je descends d'une mère martiniquaise, fille illégitime d'un fakir oriental. Elle fut amenée de Fort-de-France à Port-au-Prince par un ravisseur corse pourvu d'un nom italien, qui fuyait la conscription lors de la dernière guerre mondiale. Elle mourut en donnant le jour au grimaud que je suis. J'ai le privilège et la disgrâce, madame, d'occuper une place de choix dans le répertoire antillais du métissage et de la bâtardise. »

Depuis qu'il était parti de Montréal, Youyou n'avait pas bougé de Miami. Il dira à Normand qu'il n'exerçait pas de métier bien défini, s'ingéniant à réaliser des gains divers selon le temps, la saison et la conjoncture. Employé à temps partiel dans un centre d'animation communautaire, speaker dans une radio locale. Un autre boulot, particulièrement emmerdant, lui prenait un temps fou : des leçons de français à des Américaines snobs de Key West, soucieuses d'apprendre cette langue, juste assez pour faire du shopping à Paris sur les grands boulevards ou draguer sur la Côte d'Azur. Ses soirées, il les consacrait actuellement à faire la cour à une jeune Juive qu'il hésitait à épouser, bien que cette union lui aurait probablement apporté la fortune, à lui qui vivait sans le sou. Ses week-ends, il réparait une bicoque qu'il venait d'acheter à Miami Beach où il habitait. La vérité n'a jamais parlé par la bouche de Youyou. Même quand il dit bonjour, il faut s'en méfier, la nuit tombe déjà.

Il était midi. La matinée avait filé sans qu'ils s'en soient aperçus. Bien qu'elle trouvât leur compagnie très amusante, Amparo décida de laisser Normand à ses « grimauderies » et de partir seule. Elle voulait profiter au maximum de la mer pendant son séjour. Elle devait d'ailleurs dénicher un magasin où se procurer de la crème solaire. Une demi-heure plus tard, Normand quittera à son tour le restaurant. Au lieu de rejoindre Amparo sur la plage, il décidera de retourner à l'appartement.

Là, installé à la fenêtre, il contemple la plage où les mouettes ont pris leur quartier d'hiver. La lumière du soleil perce de part en part les vagues illuminées de traits argentés et bleus. Amparo court sur la grève et les mouettes dérangées s'envolent d'un grand jet vers le ciel limpide. Le soleil têtu inonde l'appartement tout entier. « Soleil décapité, soleil écorché, soleil à chair vive, soleil enfant et vieillard, soleil qui est dans le secret du véritable rire », déclame Normand.

Le rire heureux d'Amparo ! Les gouttelettes d'eau émanant de la brisure des vagues trempent son visage, ses jambes et ses bras nus. De la fenêtre, Normand peut voir briller au soleil les gouttelettes, mille perles sur la peau hâlée d'Amparo. D'un mouvement vif, elle fait passer sa robe de coton par-dessus sa tête.

Normand peut admirer les lignes du corps que ne brouille plus l'étoffe de la robe gonflée par le vent. Le vêtement tombe sur le sable, petit tas coloré sur l'étendue grise de la grève.

Amparo est maintenant offerte au regard de Normand. Du bout des orteils, elle tâte l'eau, puis avance nuque renversée, incendiée par les feux du soleil. Elle a de l'eau jusqu'aux cuisses. Normand, paupières closes, envie la vague qui la lèche, la pénètre. Il est une algue marine, il se glisse entre ses deux cuisses. Lame de fond, il embrasse l'ample torsion du corps d'Amparo, laisse sur ses hanches une traînée d'écume blanchâtre, se faufile dans la ligne-vallée, ligne de partage des seins, glisse sur ses épaules avant de l'engloutir.

Amparo fend la mer qui l'enveloppe dans une caresse. Sur le dos, elle effectue quelques battements de pieds avant de se laisser porter vers le large. Jamais avant Normand n'avait tant regardé une femme : jamais ses yeux n'avaient ainsi pris possession de la chair nue. D'autres, beaucoup plus belles, avaient exaspéré son désir. Jamais autant qu'en cet instant où Amparo, échappée à la médiocrité du quotidien, faisait à la mer le don muet de sa nudité.

À la radio, la voix du speaker précédée de cymbales et de batterie, annonce les nouvelles de la mi-journée. À Beyrouth, un attentat-suicide d'un commando de Palestiniens ; ils avaient attaqué un camion de soldats israéliens. Bilan : vingt morts. Aux Philippines, les communistes ont signé une trêve avec la présidente Aquino. En Haïti, Baby Doc en sérieuse difficulté. Puis, le speaker s'étend longuement sur le record battu par un marin spécial, Hans Druker, devenu aujourd'hui le premier aveugle à avoir parcouru seul, en voilier, le trajet de San Francisco à Hawaï.

Soudain, une grande agitation sur la plage. Amparo pousse un cri d'effroi. Les baigneurs pris de panique courent en tous sens. Normand se penche ; il voit émerger de l'eau des bras aux poings serrés. Sur la grève, des cadavres raides sont abandonnés par le reflux, pareils aux naufragés des légendes. « Jamais, dira Amparo à Leyda, jamais je n'oublierai le tumulte des mouettes, le vacarme des ambulances et des voitures de police ; jamais, dussé-je vivre vingt vies, je n'oublierai le spectacle de ces quarante-trois êtres humains en haillons, rigidifiés pour l'éternité, dans des attitudes de pantins disloqués. Étaient-ils morts d'épouvante ? »

V

LE NAUFRAGE DE *LA CAMINANTE*

À LA HAUTEUR du Canal des Vents, un puissant roulis secoua violemment la coque de *La Caminante* et nous tira de notre profond sommeil. En se précipitant sur le gouvernail, Amédée ordonna de descendre la grand-voile. Le ciel, au-dessus de nos têtes, roulait des nuages menaçants. Avant que les hommes aient eu le temps d'entamer les manœuvres pour ramener la voile, des rafales de vents, longues, soutenues, mirent à bas le mât d'artimont que nous avions pris tant soin de bien faler. Étraves, bordées, gréements poussaient de longs gémissements. « Il ne faut pas laisser battre les voiles », ne cessait de crier Amédée.

Sur le pont, les hommes, assommés par des volées d'embruns, luttaient contre les toiles gonflées de vent. Ils menaient un véritable combat contre les rafales déchaînées. Ils avaient toutes les peines du monde à se tenir debout, s'accrochaient à tout ce qui leur paraissait offrir une résistance, pour éviter d'être précipités par-dessus bord. Il était difficile de garder les yeux ouverts. Mille éclats d'eau salée blessaient les pupilles. Lourdes, grises, sales, les vagues déferlaient sur le pont. Le vent forcissait de plus en plus. Les hommes souquaient ferme, se battaient contre la mer en furie. *La Caminante* s'élevait au-dessus des crêtes puis tombait et retombait dans le creux des vagues. La coque résonnait, craquait. La voix d'Amédée domina le tumulte : « Attention ! attention ! Grand Dieu aidez-la ! » Abandonnant le gouvernail, il se précipitait en hurlant.

Le spectacle auquel j'assistai alors me glaça d'épouvante. Noelzina, entortillée dans une voile, les pieds arc-boutés pour résister aux secousses, s'accrochait au parapet. Elle avait la tête tournée vers l'océan. En supputait-elle l'effrayante profondeur ? Le soubresaut du bateau malmené par les hautes vagues ralentissait les déplacements, empêchait ceux qui volaient à son secours d'arriver jusqu'à elle. Puis, tout alla très vite. Les pieds de Noelzina quittèrent le plancher. Drapée dans la voile blanche dont les pans flottaient autour d'elle, elle fut emportée par-dessus bord, resta un instant suspendue dans les airs, le corps allongé. Majesté sans poids, elle a plané avec des battements d'ailes imperceptibles avant d'être happée par une lame.

Deux fois, elle réapparut au milieu des tourbillons d'écume. La troisième fois qu'elle plongea, elle ne remonta plus. « Noelzina ! Noelzina ! », appelions-nous à tue-tête. « Noelzina ! »

Il serait vain de dissimuler la douleur que je ressens à évoquer ce souvenir. Malgré toute notre prévoyance, nous n'avions jamais songé à nous munir de barques de sauvetage, de perches, de bouées qui nous auraient permis de lui porter secours. Le tumulte des vagues interdisait toute manœuvre pour cingler jusqu'à elle, parvenir jusqu'à ce creux où elle gisait. Avait-elle été emportée vers la demeure du maître des grands fonds ? Noelzina, tu brilleras longtemps encore dans nos mémoires, soleil secret !

La disparition de Noelzina nous laissa sans voix, atterrés. *La Caminante* assaillie par les vagues dériva toute la nuit. Malgré nos prières, nos suppliques, la mer ne s'apaisait pas. Les vents avaient gardé leur méchante humeur. Nous nous vîmes perdus. Abrutis d'épouvante, le visage tuméfié, bouffi de fatigue, les yeux piquants de sel, transis dans nos vêtements mouillés, nous avions gagné la cale. Affalé dans un coin, Philéus Corvolan marmonnait un chapelet de psaumes. Odanis Jean-Louis promettait à la vierge Altagrâce qu'il irait chaque année à pied jusqu'à Sault d'Eau, s'il sortait vivant de cette aventure.

Assis en tailleur, le dos bien droit, la tête inclinée sur la poitrine, le front strié de rides, les yeux fermés, Amédée soliloquait. Les mots d'abord inintelligibles prirent, au fur et à mesure qu'ils pénétraient ma conscience, une dimension telle que j'oubliai le moment présent. Dans la voix calme d'Amédée, je devinais une terrible souffrance. Il parlait de Noelzina, de sa passion pour la vie, de l'ardeur avec laquelle elle se jetait dans tout ce qu'elle entreprenait. Je revoyais la scène qui avait précédé la tempête. Je revoyais cet homme de plus de soixante ans et cette femme qui n'en avait que trente, danser. Amédée avait encore grand air malgré les cheveux blancs qui lui couronnaient la tête. Robustement charpenté, les épreuves de l'âge semblaient l'avoir effleuré sans presque laisser de traces. J'avais l'impression de glisser sans pouvoir m'arrêter. Un vide profond m'emplissait et je n'avais aucune envie de lutter contre lui. Atroce, exécrable, le soupçon s'insinua dans mon esprit. L'idée qu'Amédée avait entretenu une relation durable avec Noelzina traversa, blessa à vif les plis et replis de mon être.

Je vous l'ai dit maintes fois, monsieur, je connaissais Amédée, je savais qu'il avait le secret de plaire. Quand je l'interrogeais sur les femmes qu'il avait pu séduire, les réponses qu'il me faisait étaient toujours empreintes d'une discrétion amusée. Pendant le temps que j'ai vécu avec lui, j'ai toujours combattu en moi l'instinct de rivalité, sachant intuitivement que le fait de partager d'autres couches que la mienne n'avait rien de bien préjudiciable ; j'étais persuadée qu'Amédée m'aimait.

Je regardais Amédée assis devant moi, immobile, sans vraiment le reconnaître. J'avais l'impression qu'il ne bougerait plus jamais, qu'il s'était pétrifié. L'idée d'une liaison durable m'était intolérable. Sans ce voyage, j'aurais pu continuer à croire à mon bonheur, enveloppée dans mon amour, chenille dans son cocon. Je ne regrette pas de l'avoir entrepris, il a brisé les apparences. Je sais, à présent, la désillusion.

J'ignore combien de temps Amédée monologua. J'étais envahie par une émotion inconnue de moi jusque-là. Quand je regardai à nouveau de son côté, sa tête ballottait mollement, ses épaules se levaient et s'abaissaient au rythme d'une lourde respiration, le corps traversé par à-coups de violents soubresauts. Je crus qu'il s'était endormi.

Une voix d'enfant se plaignit d'être trempé. Personne ne s'était aperçu qu'il y avait de l'eau dans la cale. Hiladieu vérifia la coque : à l'endroit d'une couture, une large fissure. Malgré tous leurs efforts, les hommes ne purent colmater la brèche. Je vous fais grâce de la danse des cuvettes, des gobelets, des bols pour lutter contre l'eau qui envahissait la cale. Avec cette voie d'eau, ses mâts à demi arrachés, ses voiles en lambeaux, *La Caminante* errait : bien que le vent ait molli, les vagues encore hautes entraînaient le bateau, le faisant dévier de son chemin. Les hommes décidèrent de ramer ; ils étaient à bout de forces, grelottants, sans vêtements secs pour se changer. La faim commençait à corder les tripes. Plaît à Dieu que la terre se pointe au plus vite !

Le soleil, absent depuis la tempête, fit une brève apparition, à l'heure de son coucher. Il se produisit à cet instant précis un fait assez surprenant : un des gamins avait emporté sur le bateau une collation de petites bêtes que nous trouvions assez répugnantes. Parmi elles, un grillon dont le silence, depuis le début de la traversée, attristait le gamin qui aimait le chant strident de cet insecte. Contre toute attente, ce soir-là, au milieu de l'abattement général, le grillon fit entendre ses cris stridulés. Cette musique attira l'attention : « La terre est proche », marmonna Amédée, rompant pour la première fois le mutisme dans lequel il avait sombré.

Aussitôt les mains en visière, le cœur battant la chamade, nous nous mîmes à scruter l'horizon. Aucune terre ne s'y dessinait. Était-ce une fausse manœuvre des rameurs à qui cette annonce avait dû tourner la tête ? *La Caminante* fut secouée par un choc violent et avant même que nous ayons pu nous interroger sur sa provenance, nous fûmes projetés à la mer. Étoile morte, *La Caminante* sombra dans l'océan, laissant surnager quelques débris de la coque. Tant bien que mal, certains d'entre nous s'agrippèrent à ces épaves. Ballottés sur cette mer encore démontée, nous dérivâmes toute une partie de la nuit. À la pointe du jour, une chaloupe nous recueillit à son bord. Son occupant ne parlait aucune langue que nous connaissions. Il nous donna de l'eau et un peu de nourriture. Des soixante-sept personnes qui avaient embarqué à Port-à-l'Écu, il n'en restait plus que vingt-deux. Muets d'hébétude et de terreur, nous n'osions nous interroger sur le sort de nos autres compagnons de voyage.

Avec force gestes, notre sauveteur nous expliqua qu'il ne pouvait nous conduire jusqu'à la ville dont nous voyions briller les néons. La rive me paraissait encore passablement éloignée et je fus surprise de sentir le sable bouger sous la plante de mes pieds, quand il me fit glisser dans l'eau. À un moment, je me suis mise à regarder la petite troupe d'hommes et de femmes avec le sentiment de ne pas en faire partie. Un œil non averti ne les distinguerait pas de ceux qui étaient entrés dans la mer pour se rafraîchir. Je les trouvais plus maigres qu'au départ, émaciés même, les paupières tuméfiées par le sel, les yeux exorbités, vieillis d'avoir vécu l'insupportable. Ils avançaient appuyés les uns contre les autres, rapprochés par l'amitié, la fraternité du malheur commun. Amédée était parmi eux, les vêtements en guenilles, essayant de se tenir droit, malgré ses forces usées.

Nous arrivions vivants, après ces longs jours de terreur, d'étouffement, d'incertitude de la traversée. Nous nous retrouvions sur la plage, crabes vomis par les flots. Je marchais, indécise, incertaine, sur ce sol inconnu. Je me suis retournée pour regarder avec envie les mouettes blanches, souverains maîtres de leur errance, remonter vers le large et j'ai vu Amédée cloué au sol, alors que les autres avançaient, pressés de s'éloigner de cette mer, linceul. Je revins vers lui. Bien qu'exténuée, je parvins à le hisser sur mon dos. Ses pieds balayaient le sable mouillé. L'incongruité de notre situation me remit en mémoire cette chanson des jours gras, à Port-à-l'Écu : « Chez les Bruno, les femmes portent leurs hommes sur le dos. » Entravée par mon lourd fardeau, je réussis, longtemps après les autres, à atteindre la petite butte du haut de laquelle on pouvait voir, de l'autre côté de la route, nichées dans un sous-bois, de coquettes maisons blanches. Essoufflée, je fis une halte. J'avais l'impression de reconnaître ce lieu que pourtant je n'avais jamais vu. Était-ce des images du temps lointain où ma mère Hilda me racontait les merveilles que ses yeux avaient contemplées lors de ses voyages sous l'eau ?

Des adolescents, des enfants, d'abord deux, puis trois, puis toute une ribambelle, nous accueillirent dans un jargon auquel je n'entendais rien. Je tentai de m'enfuir. La fatigue, le poids d'Amédée sur mon dos me firent trébucher et dévaler la pente. Éclats de rire gras des gamins. Avec l'insouciance de cet âge, ils se fatiguèrent vite du pitoyable spectacle que nous devions offrir, et piaillant, se bousculant, ils disparurent en direction de la plage. Je me relevai péniblement, rajustai la position d'Amédée que je n'avais pas lâché dans ma chute.

Devant moi, un fleuve noir d'asphalte dont la largeur m'impressionna. La grand-route qui traverse Port-à-l'Écu n'était en comparaison qu'un sentier de chèvres. Un troupeau bêlant de véhicules aux couleurs et formes variées défilait à une vitesse vertigineuse. Comment parvenir à traverser sans se faire écrabouiller ? Quelques mètres plus loin, nos compagnons d'infortune contemplaient avec la même panique la route bourdonnante, affairée, emblême d'une Amérique qu'on nous avait contée.

Je repris ma marche, une claudication, tout ce que me permettait la plante gercée de mes pieds nus. Un muret m'offrit son tablier. Je m'y accotai. Un bruit de sirènes. Je sursautai vivement. Le corps d'Amédée glissa, tomba sur la chaussée, marionnette désarticulée.

Autour de nous, un déploiement de voitures dans une valse d'intermittentes lumières rouges et vertes, des crissements de pneus, un peuple d'uniformes, des claquements de bottes. Je les devinais plus que je ne les voyais, armés de gourdins et de revolver. Ils gueulaient ; l'affreux crachotement de leur radio de bord couvrait leur voix. Deux d'entre eux se penchèrent sur le corps d'Amédée, l'engouffrèrent sur le siège arrière d'une voiture. Ils m'ont hissée à côté de lui. « Quelle belle promenade nous avons faite là, Amédée ! Quelle belle virée, mon capitaine ! »

VI

LIEU INTERMÉDIAIRE

LE SOIR du naufrage, Amparo avait longtemps marché, erré. Moule vide, la nausée, véritable coulée de lave, l'emplissait dès qu'elle s'arrêtait. Puis, elle avait rejoint Normand installé devant la télévision, écoutant avec attention les commentaires d'un fonctionnaire du service de l'immigration américaine. Si la présence des patrouilles américaines dans les eaux territoriales haïtiennes a réussi à réduire l'exode vers la Floride, les Haïtiens n'avaient pas pour autant renoncé à leur désir d'abandonner l'île. Certains parvenaient encore à tromper la vigilance des garde-côtes patrouillant dans la mer des Caraïbes. Le dernier groupe avait été intercepté par la police sur la plage de West Palm Beach, non loin du Miami Métropolitain. Selon les services de police côtière, ils avaient touché terre aux environs de huit heures, ce matin-là. Le groupe est composé de quatorze hommes, sept femmes et une fillette de trois ans. On n'avait pas encore déterminé combien de temps ils avaient dû passer en mer. Selon toute logique, ces vingt réfugiés avaient été déposés sur la plage par un bateau de plaisance car, à première vue, ils étaient en assez bonne forme physique, ne montraient que peu de signes de cette fatigue généralement constatée chez les voyageurs ayant effectué un long voyage dans des conditions précaires. Ils étaient internés au camp de Krome. On n'avait pas encore réussi à déterminer quel rapport existait entre ce groupe de réfugiés et les naufragés de la veille, à Golden Beach. Le service d'immigration conviait les journalistes à visiter le camp le lendemain entre treize et dix-sept heures, pour mettre fin aux rumeurs qui circulaient sur les conditions d'internement des réfugiés haïtiens.

Brisée de fatigue, Amparo ne s'endormait pas ; elle décida d'avaler deux comprimés de barbiturique. Quand elle se réveilla le lendemain, le soleil était déjà haut et commençait à brûler sans compromis. Elle se rendit à la salle d'eau pour ses ablutions ; elle n'avait pas une nette conscience du temps, voguant dans une demi-brume. En sortant de la toilette, elle vit Normand qui, par la baie vitrée, regardait avec insistance un laveur de carreaux, monté sur un échafaudage en tubes d'aluminium. « Tu l'as reconnu ? » lui demanda-t-il quand elle lui posa la main sur l'épaule en guise de bonjour. Elle regarda plus attentivement, ne parvint pas à reconnaître, dans cet homme accoutré d'une salopette bleue délavé, Youyou, le dandy d'hier. Ils le voyaient de biais, maniant avec dextérité un essuie-vitre, se promenant sans ceinture de sécurité, à dix mètres du sol, aussi allègre sur l'étroite passerelle que s'il déambulait sur le boulevard Biscayne. « Youyou, laveur de carreaux ! Autant en emporte le souffle du destin ! » dit Normand avec gravité.

Devant le regard perplexe d'Amparo, il dressa un inventaire des liens qui les unissaient. Youyou et lui se connaissaient depuis la petite enfance. Ils s'étaient rencontrés un matin d'octobre, dans la cour du petit séminaire collège Saint-Martial. Ils rentraient tous deux à la maternelle. Au primaire, ils s'étaient distingués par leur indiscipline et leurs pères avaient recommandé aux bons prêtres de ne pas hésiter à utiliser la trique pour corriger ces gamins qui poussaient dru, en mauvaise herbe.

Pendant trente ans, la vie ne les avait pas séparés. Ensemble, ils avaient traversé les vertes prairies de l'adolescence, voyagé avec Jules Verne, fait le tour du monde en quatre-vingts jours, ou le tour du jour en quatre-vingts mondes, cambriolé des maisons, percé des coffres en compagnie d'Arsène Lupin, participé aux bacchanales de Lucrèce Borgia dans les interlignes de Michel

Zévaco, ce romancier de cape et d'épée aujourd'hui oublié. Ils avaient dix-huit ans quand avait soufflé, dans les années soixante, ce grand vent d'espérance sur la planète ; ils avaient chanté le quotidien sur des airs à la mode : Aragon et Ferré célébraient la Chine mise en commune, Brel fustigeait les bourgeois, Bob Dylan, Jean Ferrat exaltaient la tendresse humaine, un lait pur.

Entre-temps la lavasse était passée. Elle avait déversé sur le pays un grand fleuve de rapts, de viols, de sang. Ils avaient alors dressé le catalogue de l'arbitraire. Normand avait épousé Leyda, sans que cela ait pu séparer les amis. Puisque l'horizon était barré, ils avaient décidé de partir. Si cela s'était avéré nécessaire, ils auraient, eux aussi, fait la traversée à l'esbroufe sur de frêles esquifs. Ils ne croyaient pas quitter le pays pour longtemps. Selon eux, il n'y avait de départ que dans la perspective d'un retour enrichi des mille parfums, des mille senteurs de l'ailleurs. À Montréal, ils ont continué à chanter, à danser la méringue de leur jeunesse. Ils ont nourri vingt ans de temps l'espoir d'un retour à « Jérusalem », luttant avec ténacité contre l'oubli.

Sur ce chapitre, Amparo ne pouvait rien apprendre de nouveau à Leyda. Elle avait participé à ce combat contre l'oubli, avait vécu ces années d'exil à côté de Normand, en perpétuant le souvenir du pays natal ; une présence de tous les instants, une rémanence obsédante, pesante, un envoûtement dont il était difficile de se détacher. D'autres compatriotes, médecins spécialistes, avocats, hommes d'affaires avaient fini par trouver la paix. Ils florissaient à Montréal, délivrés de leur passé. Normand, lui, veillait sur ses blessures ; sa mémoire ne lui avait pas laissé le choix.

Leur maison avait servi de plaque tournante à tous les guérilleros de passage, leur adresse, de boîte aux lettres pour les courriers les plus clandestins. Quand revinrent les années de sang, Normand et Youyou perdirent bon nombre de leurs amis : une hécatombe. L'oubli devint difficile, agrémenté de deuil ; la mort des autres rappelle inévitablement la honte de sa propre survie. Souvent, au plus noir de la nuit, quand une bouffée de tristesse leur étreignait la gorge et que leurs chants ne parvenaient plus à répercuter l'écho de leurs combats, ils sublimaient en enivrant leurs sens, en réjouissant leurs corps. Amparo n'apprenait rien de nouveau à Leyda. Elle avait assisté à la rupture de Youyou avec Montréal. Un beau matin, Youyou n'a pu supporter la vie à Montréal : la gadoue, les miasmes de l'hiver, le silence des nuits, les ruelles sales, les devantures borgnes, les cafés louches. Il avait beau marcher dans les vastes avenues que la mairie s'esquintait, avec les taxes des citoyens, à remettre à neuf, tout au fond de lui frémissaient encore la vieille ville de misère, la nostalgie de Port-au-Prince, de la gaieté et des lampions qui percent le crépuscule des quartiers de plaisirs, il ne pouvait se résigner à mutiler cette part de lui-même : « Il nous faut nous rapprocher du pays, disait-il, de façon à être prêts à reprendre place, si cela s'avère, un jour prochain, possible. » Il répétait inlassablement qu'en continuant à vivre à Montréal, il risquait de confondre les échafaudages temporaires avec l'architecture elle-même Il a ramassé ses cliques et ses claques et s'en est allé se réchauffer au soleil. Au moins à Miami, raillait-il, on ne peut plus devenir américain. Les Haïtiens, là, parlent leur langue, servent leurs dieux, chantent leur folklore et dansent leurs rythmes. Il ne savait pas ce qui l'attendait au bout de cette seconde migration.

Normand tire le lourd rideau de cretonne à fleurs pour masquer la baie vitrée. La lumière disparaît ; le bruit des brisants s'étouffe. Il enfourne rageusement magnétophone, calepin, stylo dans son porte-documents. Il veut arriver tôt au camp de Krome et devancer ainsi la meute des journalistes qui ne manqueront pas de répondre à l'invitation du service de l'immigration.

Ce jour-là, Normand fit la connaissance de Brigitte Kadmon Hosange et, sans trop savoir encore ce qu'il en ferait, il décida d'enregistrer son témoignage.

TROISIÈME PARTIE

DANS LE SILENCE OU LA CLAMEUR

Nous sommes des passants appliqués à passer,
donc à jeter le trouble, à infliger notre chaleur,
à dire notre exubérance. Voilà pourquoi
nous intervenons ! Voilà pourquoi nous sommes
intempestifs et insolites.

René Char, *Rougeur des matinaux*

I

DES PASSANTS APPLIQUÉS À PASSER...

QUI DISAIT que le voyage est illusoire ? On a beau se déplacer d'un endroit à l'autre, se livrer à une agitation sans relâche, en réalité, on ne fait que marquer le pas, tant les lieux restent inchangés. Dans leur soif de départ, les voyageurs ignorent souvent qu'ils ne feront qu'emprunter de vieilles traces. Mus par une pulsion, quand ils ont mal ici, ils veulent aller ailleurs. Ils oublient que le mieux-être est inaccessible puisqu'ils portent en eux leur étrangeté. Leur trajet, à la limite, ne dessinera qu'une boucle, tant les événements sont jetés là, orphelins, les attendant, pareils à des quais de gare. Ils erreront sans fin, animés du même désir fou que celui qui hante le destin implacable des saumons : ils tâtent des fleuves, des océans, pour retrouver à la fin l'eau, même impure, où ils sont nés et y pondre en une seule et brusque poussée, une réplique d'eux-mêmes et mourir.

Il est dans l'existence des éclipses où il nous semble avoir tout perdu, des temps de silence où l'on se trouve plongé dans un brouillard, une nuit en deuil d'étoiles. Nul reflet n'éclaire la route. De l'enfermement de l'île à la prison de Krome, de l'inventaire des ratés au catalogue des renoncements, le même délicat problème de la migrance, un long détour sur le chemin de la souffrance. Passagers clandestins dans le ventre d'un navire, nous visitons non des lieux, mais le temps.

Nous venons d'un pays qui n'en finit pas de se faire, de se défaire, de se refaire. Coureurs de fond, nous avons franchi cinq siècles d'histoire, opiniâtres et inaltérables galériens. Nous avons subsisté, persévéré sur les flots du temps, dans cette barque putride et imputrescible à la fois, dégradable et pérenne. Notre histoire est celle d'une perpétuelle menace d'effacement, effacement d'un paysage, effacement d'un peuplement : le génocide des Indiens caraïbes, la grande transhumance, l'esclavage et, depuis la mort de l'Empereur, une interminable histoire de brigandage. Notre substance est tissée de défaites et de décompositions. Et pourtant, nous franchissons la durée, nous traversons le temps, même si le sol semble se dérober sous nos pas. Malgré vents et marées, malgré ce présent en feu, ce temps de tourments, cette éternité dans le purgatoire, nous continuons à survivre en nous livrant à d'impossibles gymnastiques.

Amparo demanda à Leyda ce qu'était devenu le récit des péripéties de Brigitte. Celle-ci avait enjoint Normand de le divulguer pour que la terre entière sache le prix que les pauvres gens payent dans leur quête désespérée d'un mieux-être. Elle était persuadée que dans ce témoignage enregistré au seuil de la mort, Normand avait été frappé par cette échappée de la vie, cette expression de la révolte d'êtres refusant l'inexorable.

Leyda eut une moue sceptique. « Illusion, répliqua-t-elle. Ce vœu de Brigitte n'était qu'une illusion identique en tous points au rêve des lendemains qui chanteraient de Normand. Il n'avait jamais cessé de s'élever à la recherche d'un monde meilleur, à l'assaut d'un ciel vide ; en ce sens, sa chute même pouvait être considérée comme un envol. À chacun d'être Icare, à chacun son ciel, à chacun l'infini de ses rêves ! »

La réplique de Leyda, partiale, désabusée, masquait volontairement toute la richesse du témoignage, laissait même croire que cette histoire pouvait avoir été échafaudée par un esprit inventif et malin. Il n'en était rien. Normand mort, je ressens l'extrême urgence de relater à sa place l'odyssée de Brigitte Kadmon. Quand je superpose le monde que restitue Brigitte dans son récit au plan de l'aventure Normand-Amparo, la similitude est frappante. Au-devant de la scène, sous les feux de la rampe, un monde d'ombres ; en coulisse, vu à travers un mince rideau de tulle, un monde de chair et d'os où chacun, dans la mesure ou la démesure, prend ses risques.

Je reste aujourd'hui encore perplexe devant la suite d'événements fortuits qui ont fait que deux histoires se déroulant sur deux registres différents, aient fini par cheminer côte à côte. Le hasard qui préside aux destins individuels en noue, dénoue, renoue les vagues et les ressacs, sans jamais tenir compte des rêves et des désirs. Des existences qui ne semblaient avoir en commun que d'être soumises à l'inexorable écoulement d'un temps qui usait le rythme de leurs souffles, de leurs espoirs, se sont mêlées. Le parallélisme ne serait-il qu'apparence ? L'histoire, avec son cortège d'imprévisibles pas de côté, avance d'une marche discontinue, additionnant, enchaînant, fusionnant dans son cours ruisseaux et rivières, aux sources diamétralement opposées. Des jeux de forces et de désirs, des entrelacs de rêves et de réalités, des mirages de sens et d'illusions guident les êtres dans le labyrinthe de la vie.

Normand, parti en quête d'un ciel qu'il savait pourtant inaccessible, a rencontré Amparo à Miami. Elle, attendait Felippe perdu, noyé dans la quotidienneté d'une morne dictature. Amparo dira à Leyda qu'au début de leur relation, Normand et elle s'étaient maintenus loin l'un de l'autre. Elle déversait sur Normand un flot de paroles ; lui était plutôt silencieux. Elle avait compris trop tard que ce silence était paradoxalement plus sonore que l'écho des vagues. Les jours, les instants de tous les jours, n'étaient qu'un perpétuel et multiple aujourd'hui, un long, infiniment long présent, sans passé ni avenir. Amparo avait dit cela avec amertume ; entre elle et Normand s'était jouée une partie inégale ; elle, l'ouvrière légère, lui, le bourdon. Elle avait attendu Felippe, elle avait fait les cent pas sur cette attente. Un jour, elle avait appris qu'il ne viendrait pas. Ce passage à vide, cette déchirure, l'avait rendue disponible. Il s'instaura alors le va-et-vient d'une parole vivante entre Normand et elle. Ils se découvrirent progressivement, unis dans un front commun contre la fuite du temps. Leur aventure a été brève, voire fulgurante ; elle aurait pu être une belle et sereine histoire de la liberté partagée des corps, un pur plaisir, une substance ouatée, la matière dont sont fabriqués les rêves, avec en toile de fond une perpétuelle quête de plénitude. Tout cela ne fut qu'un trompe-l'œil, un trompe-la-mort.

II

D'UNE AVEUGLANTE CLARTÉ

L'HORLOGE grand-père, dans le vestibule, sonna deux coups brefs.

« Jamais je n'oublierai le tumulte des mouettes, le vacarme des sirènes, jamais, dussé-je vivre vingt vies. » Leyda regardait le visage bouleversé d'Amparo. Plus d'un an après le drame, la même horreur qu'elle avait dû éprouver ce jour-là se lisait dans ses yeux.

Leyda se leva et commença à débarrasser la table. Normand disait toujours qu'après avoir mangé, la table n'avait plus de signification. Il n'y avait rien de plus triste, selon lui, que de contempler les restes d'un bon repas. Elles iraient prendre le café au salon. En passant, Leyda mit l'autre face de *La Nuit transfigurée* de Schönberg. Elle aimait ces étranges sonorités, miroitantes, qui lui faisaient penser au perpétuel changement de couleur d'une mer agitée. Elle servit du café flambé au rhum vieux, une recette de Normand, ramenée de Fort-de-France et dont il n'avait jamais voulu partager le secret. Amparo s'étonna d'un tel comportement. Elle avait perçu Normand comme un être généreux, très proche de ses amis avec lesquels il vivait, croyait-elle, dans une étroite communion.

Assise sur le canapé, en face d'Amparo, Leyda sirotait son café, le front barré d'un pli soucieux. Sa tentative de diversion en proposant de se déplacer n'avait pas réussi et Amparo, les yeux hallucinés, avait recommencé à parler : un long monologue ; sa parole intérieure affleurait malgré elle, ranimant pêle-mêle tout un boucan d'images qu'elle n'arrivait pas à classer.

Elle se souvenait de ses dernières vacances en Oriente ; elle devait avoir dix ans. Un été, elle avait accompagné sa mère pour passer quelques jours à la montagne, dans l'hacienda que possédait dans la région une de ses tantes, veuve. Son cousin Eugenio, son aîné de quatre ans, cousin-frère, cousin-ami, cousin presque amant, qui vivait dans la forêt à longueur d'année, connaissait des clairières, des lieux boisés où ils pouvaient, à l'abri du regard des adultes, se livrer à des jeux, somme toute, bien innocents à cet âge.

Une fois, en pénétrant dans un de ces sous-bois, ils furent stupéfaits de voir la forêt recouverte de fils ténus et visqueux au bout desquels se tortillaient bizarrement des chenilles verdâtres, longues de trois ou quatre centimètres. Autour d'eux, les arbres qui, deux ou trois jours auparavant, paraissaient forts, vigoureux, ne ressemblaient plus, privés de leur feuillage, qu'à des squelettes géants. Les chenilles avaient englouti toutes les feuilles, même celles des petits buissons de myrtilles, ne laissant que les nervures. Ils avancèrent encore de quelques mètres, partout le même spectacle. Quand ils se rendirent compte qu'ils étaient couverts des chaussettes aux cheveux de fils gluants, ils décidèrent de rebrousser chemin. Leur randonnée vira au cauchemar : des cadavres de chenilles, par milliers, jonchaient le sol. En certains endroits, ils s'entassaient en une masse verdâtre, si compacte qu'il leur était difficile de se frayer un chemin. Le lendemain, on dut dégager à la pelle passages, sentiers, halages obstrués par un épais tapis d'anneaux velus, enlacés.

Leyda sourit. Amparo avait vraiment l'esprit d'exagération ; elle ne parvenait pas à établir les frontières qui séparaient les rêves de la réalité. Elle était intarissable. Leyda aurait dû être agacée par cette macabre histoire de mandibules affamées, voraces et dévastatrices ; à sa grande surprise, elle constata qu'elle y prêtait un vif intérêt. « Par quel miracle, risqua-t-elle avec un accent empreint de naïveté, ces chenilles ont-elles été détruites et ne sont pas parvenues à anéantir toute la forêt ? »

La réponse d'Amparo tomba catégorique, comme un réflexe : « La nature réagit contre les risques d'extermination. » Elle but une gorgée de café et ne put réprimer une grimace : le liquide avait refroidi dans sa tasse. « Normand m'a raconté que dans les Laurentides, tous les dix ans, la population de lièvres augmente dans des proportions inquiétantes. Ils dévorent tout sur leur passage : pousses de bouleaux, de trembles, de peupliers, d'aulnes. Ils dévastent ainsi des hectares de forêt. Les racines des arbres demeurant intactes, de nouvelles tiges réapparaissent. Quand les lièvres affamés reviennent et les consomment, ils tombent raides morts. Ces plantes abattent leurs prédateurs. »

Leyda se leva et marcha jusqu'à la fenêtre qui ouvrait sur la rue Oxford. « Vous vous fourvoyez. Certes, même soudés au sol par les racines, les arbres ne vivent pas seuls ; les végétaux aussi entretiennent des liens sociaux. Les douleurs de leurs blessures sont aussi collectivement partagées que l'épanouissement synchronisé de leurs fleurs et de leurs fruits. Là où vous vous fourvoyez, c'est qu'il n'existe aucune règle stricte régissant le jeu de la vie et de la mort. À regarder de près, cela frise l'obscénité. » Leyda prit l'arrosoir rempli d'eau posé sur le rebord de la fenêtre, en versa quelques gouttes dans les pots de violettes africaines, de larmes de bébé et de cactus, enleva la feuille morte qui pendouillait, au bégonia. Elle invita Amparo à observer les agissements d'une coccinelle qui depuis plusieurs jours avait élu domicile dans sa jardinière. Elle s'était probablement cachée sous une feuille au moment où on avait rentré les plantes pour l'hiver. Chaque matin elle se pose sur une feuille et découpe, pendant une bonne dizaine de minutes, un cercle, en prenant bien soin de laisser quelques points d'attache pour que la portion découpée reste fixée à la feuille. Puis, elle festoie toute la journée, sur le rond ainsi isolé. Le matin suivant, elle choisit pour son nouveau repas une autre feuille située à une bonne distance de celle utilisée la veille. Intriguée par ce curieux manège alimentaire, Leyda avait consulté des bouquins d'entomologie : les analyses des plantes révèlent que celles-ci sécrètent dans les feuilles ainsi attaquées une substance amère qui les rend non comestibles. De là les précautions de la coccinelle : d'abord, en coupant toute connection avec le cercle et le reste de la feuille, elle empêche la diffusion du poison. Puis, en allant chercher plus loin le prochain repas, elle évite les feuilles voisines averties de sa présence et déjoue ainsi leur défense.

Elle avait à peine fini sa péroraison que le téléphone se mit à sonner. Sans un regard vers Amparo, elle se rendit à la salle de séjour et décrocha le récepteur : « C'est toi, Régis ! » Il ne voulait pas la déranger. Il appelait pour confirmer l'heure de leur rendez-vous. Il ne la dérangeait pas. Elle était avec une amie que Normand avait revue à Miami et qui avait tenu absolument à la rencontrer. Elle avait oublié de lui en parler. Rien ne changeait dans le projet de passer ensemble la soirée. Elle serait libre et l'attendrait vers dix-huit heures trente. Ils dîneraient ensemble, quelque part, au centre-ville.

*

L'altération de la voix de Leyda m'avait rempli d'appréhension. Je soupçonnai que cette amie de Normand n'était autre qu'Amparo. Avec l'ardente patience de l'araignée, je me suis longtemps penché sur l'âpreté des propos qu'ont échangés Amparo et Leyda. Les mots, miroirs truqués, se présentent souvent entourés d'une gangue opaque. Comment les débarrasser, les dépouiller de cet ornement ? Que voulaient exprimer Amparo et Leyda en empruntant ces détours de chenilles, de lièvres, de coccinelles ?

J'aurais pu interroger Leyda, mais aurait-elle su à quel intelligible dessein elle avait répondu ? Que livrons-nous à autrui de nous-mêmes ? Que percevons-nous de ceux qui nous côtoient, du monde qui nous entoure ? Et plus encore, de l'être que nous sommes, de la langue que nous parlons ? Existe-t-il un code secret, une symbolique qui donnerait le sens profond des mots ? Les philosophes, du fond des âges, ont oublié de nous laisser la clef des langages même les moins sybillins, pour nous aider à pénétrer le secret des paraboles, décrypter les discours. Comment traduire ce qui n'est traduit en aucune langue ? Comment pénétrer cet imprenable labyrinthe hérissé de pièges ? Comment démêler la complexité de ces enfilades ?

Je connaissais très bien Normand. Je présumais qu'il devait avoir vécu avec Amparo une relation d'une grande intensité. J'en avais la quasi-certitude. Je connaissais les pratiques qui le caractérisaient dans ce domaine. La jouissance n'était-elle pas le but de son existence ? Ne vivait-il pas dans l'instant, cherchant le plaisir dans l'exacerbation de l'instant ? Normand s'était toujours placé au-dessus de l'instant, n'avait touché au cercle de la vie que par la tangente, évitant toute attache, tout enracinement, recherchant constamment le changement.

J'avais été témoin privilégié de ce goût passionné des errances nocturnes qu'il partageait avec Youyou, de ses quêtes d'absolu, de ses brusques accordailles, des lendemains de fête, quand l'aube se révèle dépotoir de soleil. Les femmes avaient toujours constitué pour lui un stimulant sans lequel on avait l'impression qu'il s'étiolait, tant il vivait avec frénésie chacune de ses éphémères passions. Il avait l'art d'attirer les femmes, de les conduire à des extrémités où rien d'autre que lui ne semblait avoir de l'importance, sans qu'aucun mot d'amour n'ait jamais été prononcé, sans déclaration d'intention, sans promesse. Puis, il les laissait tomber, comme un arbre ses feuilles mortes. Chaque nouvelle conquête représentait pour lui un nouveau printemps.

Elles, après son départ, se fanaient intérieurement. Apparemment, aucun changement ne s'était opéré. Rien ne laissait deviner que le fil de leur vie s'était brisé, rompu. Pourtant, quand elles finissaient par en parler, on se rendait compte qu'un nouvel état d'âme s'était créé, qu'elles ne parvenaient pas à s'expliquer. La confusion de leurs sentiments les portait tantôt à lui imputer elles ne savaient exactement quelle faute, quelle duperie, tantôt à se reprocher d'avoir vécu dans un état second ce qui avait en fait été une fiction. Dans cet insupportable ballottement, elles vivaient repliées sur elles-mêmes, essayant désespérément de se retrouver, perdues pendant ce temps-là pour les autres.

Leyda, malgré la force de son caractère, n'a pu échapper à ce piège. La morsure que Normand avait dû infliger à Amparo devait être aggravée par sa disparition prématurée. Qu'attendait Amparo de Leyda ?

*

Ce soir-là, Normand revint de Krome tout chamboulé par ce qu'il avait vu et entendu. Krome, une ancienne base militaire à vingt-cinq kilomètres de Miami, construite dans le creux de deux vallonnements orphelins d'arbres, non loin d'une petite crique humide en hiver, chaude en été, triste en toute saison. Une double ceinture de treillages barbelés entoure soigneusement des bâtiments rectangulaires, gris, à un seul étage. De loin, ils offrent l'aspect de sinistres hangars de marchandises. L'enclos franchi, on se retrouve dans une prison nord-américaine, avec ses miradors aux quatre angles, ses portes et fenêtres grillagées, ses gardes en faction, ses surveillants aux uniformes impeccables qui traînent avec eux d'énormes trousseaux de clefs pour ouvrir des compartiments subdivisés, munis de lits-cages superposés, séparés par un simple rideau. Chose étonnante, cette prison grouille d'enfants et d'adolescents qui n'ont jamais connu rien d'autre qu'un univers carcéral. Le hangar central leur sert d'école où ils apprennent à oublier qu'ils sont venus de très loin, dans des embarcations de fortune, au risque de leur vie. Des cuisines étincelantes de propreté, des murs peints et repeints, un terrain de basket-ball, voilà le pénitencier de Krome tel que Normand me l'a décrit.

Dans une grande pièce, une salle commune, les journalistes ont rencontré les arrivants d'hier : les uns affalés sur des bancs, le visage baigné de larmes, gémissaient douloureusement, les yeux levés vers le plafond, implorant l'aide du Très Haut ; d'autres, plus démonstratifs, se roulaient sur le sol, poussant des lamentations. On croirait assister à une veillée mortuaire, dans quelque village reculé d'un lointain pays. Ce que m'avait raconté Normand n'avait rien pour me remonter le moral. Dans l'après-midi, j'avais fini par joindre Felippe au téléphone. Il ne pouvait être au rendez-vous qu'il m'avait fixé. Au Chili, le régime militaire avait durci son attitude. Felippe craignait, s'il quittait le pays, de ne pouvoir y retourner de sitôt. Je compris alors qu'avec lui, il n'y avait plus rien de consistant. Nous vivions dans des univers distincts, nous n'étions plus branchés sur les mêmes réalités. Aussi avions-nous convenu de reprendre chacun notre liberté. En raccrochant, j'ai été prise de désarroi. J'étais de nouveau seule.

Normand rangea magnétophone et cassettes, décida qu'il fallait se changer les idées et proposa une dérive dans Miami : nous nous sommes alors perdus dans la ville.

Notre promenade avait commencé par Coral Gables, les rues sinueuses, les résidences de style colonial, les arcades du Venetian Pool. La calle Ocho nous a conduits dans Little Habana où nous a accueillis, peinte sur une murale, la Vierge Caridad. Puis nous avons vu le nouveau Miami avec ses immeubles dernier cri en matière d'esthétique industrielle. Biscayne Boulevard, au terre-plein central agrémenté de palmiers, fit défiler devant nos yeux les façades illuminées de ses somptueux hôtels et magasins. Parvenus au *down-*

town district, les chantiers rendant difficile la circulation automobile, nous avons garé la voiture et nous nous sommes engagés à pied dans la Flagler Street, artère principale du centre-ville, en plein renouveau.

Le hasard de nos pas nous conduisit devant un immeuble à trois étages, d'architecture espagnole, en granit et en brique. La façade, en très mauvais état, semblait n'avoir jamais été ravalée depuis sa construction. On se serait cru devant une baraque tout juste bonne pour la démolition. Une enseigne annonçait le plus vieux restaurant de spécialités dans la ville ; il occupait le rez-de chaussée de l'immeuble. La porte cochère une fois franchie, le modernisme dansait, sur un air de jazz, un pas de deux avec les vieilles poutres du plafond. L'odeur caractéristique de l'Amérique du Nord, un mélange de désinfectant, de parfums et de relents de sueur, imprégnait toute la salle. On eut du mal à trouver une place. La table voisine de la nôtre était occupée par des femmes d'un certain âge, lourdement maquillées. Une fois installé, Normand se mit à feuilleter le menu, lisant à haute voix le nom des plats, de la manière dont il psalmodierait une litanie des saints dans un missel dominical : Steak Alamo, poisson à la king de Louisiane, jambon à la Daniel Boone, côtelette Oncle Tom... La carte des vins magnifiait un sauterne californien pour accompagner les plats de poissons ou de clovisses.

Le parfait de canard que Normand avait commandé n'avait de parfait que le nom. Le steak Alamo, une véritable semelle de chaussure ; mon poisson du jour n'était pas plus appétissant. La chair trop cuite se défaisait avant même que la fourchette ne l'ait entamée. Le riz outrageusement nommé pilaf regorgeait d'eau. Bref, le repas était inqualifiable et, pour comble, le pain rassis.

Du coin où nous étions assis, nous avions vue sur Miami River. Les péniches automotrices qui toute la journée conduisaient les touristes dans des randonnées au cours desquelles on leur faisait visiter les îles avoisinantes, les bancs de corail et même les abords des Bahamas jusqu'à Freeport, revenaient de leurs croisières. Leurs faisceaux lumineux balayaient la voie d'eau sur toute sa largeur, répandant dans leur sillage un émiettement d'or pâle. Sur les ponts, une meute bigarrée dansait, chantait à tue-tête. Quand le tumulte cessa, mon regard fut attiré par une chaloupe de plaisance. Saisie par l'ombre nocturne, elle était secouée d'un léger balancement ; elle frissonnait de se retrouver soudain seule.

Normand et moi n'avions pas bu, à nous deux, la moitié de ce mauvais sauterne et pourtant un début d'ivresse embrumait mon esprit. Je tournai la tête vers Normand. Son visage s'offrait à moi en gros plan. Sans qu'il eût à me le dire, je sentis qu'il avait décidé de se laisser aller, de se laisser glisser dans le rythme de notre rencontre. Était-ce un effet de la déchirure de ma relation avec Felippe ? La tristesse par saccades m'envahissait, nouait une corde de nœuds à ma gorge. J'eus tout à coup l'envie de me blottir au creux de l'épaule de Normand et d'y verser des larmes chaudes, toute l'eau de mon corps. Je me contentai de prendre sa main, d'en caresser la paume. Il me fixait de ses yeux noirs. Brusquement, l'air qui nous entourait charria tout un ballet mystérieux de codes et de signes : saccade des souffles, chutes d'étoiles, tumulte silencieux d'astres affolés, ensablement des mots. Je sentis passer entre nous des fluides, des ondes, des tropismes. Comment expliquer ce frisson sur l'envers de ma peau ? Pour ne pas perdre contenance, je me suis mise à rire. Comment traduire cette conscience diffuse ? Je jouais la comédie du rire alors que je n'avais qu'une envie : crier, gueuler, hurler pour que se défasse ce nœud qui menaçait de m'étouffer. Quelles substances, quels liants avaient concocté, à cet instant précis et sans avertissement, cette alchimie au plus ras de mes sens, au plus profond de mon être ? Plus rien ne nous retenait dans ce restaurant. L'addition réglée, nous sortîmes précipitamment pour regagner la voiture.

La fin d'une longue journée marquée par des chaleurs caniculaires. Je baissai les vitres de ma portière, la fraîcheur de l'air marin était d'une indicible douceur et son contact, avec la peau, bien rafraîchissant. La voiture roulait vite. Je fermai les yeux. À travers la paroi de mes paupières, je voyais défiler des ombres. Le chemin sur lequel elles marchaient aurait dû être horizontal et pourtant il était ramené à la verticale et mourait au ciel.

Dans le hall de l'immeuble, tandis que nous attendions l'ascenseur, je vis Normand blêmir : la tête lui tournait ; une crampe lui tenaillait la poitrine, irradiait dans son avant-bras. À peine franchie la porte de l'appartement, il se déshabilla et s'étendit sur le dos. On eût dit que la joie avait pris soudain congé de lui. Il y avait dans ses yeux une fixité vertigineuse, un froid d'aurore d'où émanait une transparence, une clarté aveuglante que même le battement par à-coups de ses cils n'arrivait pas à recouvrir. Je le regardais dans les yeux, tout était noué et dénoué dans ce regard : des mouvements hagards d'animal blessé, traqué, au bout de sa course.

III

LA CHUTE

LES PROPOS d'Amparo, flopée de paroles, provoquèrent chez Leyda un agacement, l'enfermaient comme un treillis. Elle sentit le besoin de bouger, de se défaire de cet étau. Elle alla jusqu'au tourne-disque et machinalement retourna le microsillon. Quand retentirent de nouveau les accents de la symphonie de Schönberg, elle réalisa qu'il lui aurait fallu choisir un autre disque, mais ne remédia pas à son erreur. Elle offrit de préparer du café. Amparo refusa. Une tension s'était installée entre les deux femmes.

Jusque-là, Leyda avait ressenti une sympathie pour cette jeune femme qui se présentait à elle avec la solide fragilité d'une poupée de porcelaine. Et voilà que soudain les mots devenaient très lourds, oppressants. En les écoutant, elle avait l'impression qu'Amparo inventait une histoire. L'image qu'elle projetait de sa rencontre avec Normand ne reposait sur rien, une image factice sur fond de désarroi. Amparo avait-elle tout simplement provoqué ce rendez-vous pour démêler l'écheveau confus qu'était devenue sa vie ? Elle embrouillait les cartes, lui infligeait un mauvais mélo. Son histoire de sable chaud, de plage en pente douce où la mer venait se briser avec un bruit sourd, pendant que les mouettes tournoyaient en une tempête de flocons blancs au-dessus des têtes, était d'un sentimentalisme cucul, digne d'un roman de gare. À son âge, se retrouver là, assise passivement à écouter la narration d'une passion qu'Amparo croit si unique que le monde autour d'elle en a été transfiguré. Elle était persuadée que cette rencontre n'avait été qu'un intermède de plus. Pour se sentir vivre, pour émerger de la solitude qui menaçait de le submerger, Normand avait besoin de dépaysement charnel ; le changement lui était devenu indispensable ; l'amour était son bouclier, la bouée qui lui épargnait le naufrage. Leyda devinait la suite. Comment mettre un terme à cette conversation ? Comment se débarrasser de la jeune femme ?

Quand Amparo recommença à parler, à la grande surprise de Leyda, elle ne reprit pas ses propos au point où elle les avait interrompus, elle en avait fait dévier le cours. Depuis plus d'un an, expliqua-t-elle, elle essayait de trouver un mot, un seul, qui définirait Normand. Leyda n'hésita pas : « Pour qualifier l'homme que vous avez rencontré à Miami, il faudrait parler de désaffection, de désenchantement, de désengagement. » Ces mots tombaient secs, des coups de cravache. Amparo sursauta. Elle n'eut pas le temps d'esquisser un quelconque geste de désaccord. Leyda la devança, parlant à son tour avec précipitation. « Quand Normand s'est évadé de ce qu'il avait coutume d'appeler la Macoutie, il n'avait pas le choix. Il appartenait à cette génération imprégnée d'idéalisme révolutionnaire, qui devait presque tout à Marx, au Che, à la révolution cubaine. Une génération d'êtres tombés de haut et qui n'en finissaient pas de coller et de recoller les morceaux, de chercher opiniâtrement la juste place à accorder à la politique, à la vie quotidienne, à l'amour. Parce que leurs discours sur la réalité ne correspondaient pas à leur vécu, encore moins à leurs souhaits, ils traînaient avec eux une conscience malheureuse, perpétuellement insatisfaite. Normand, les derniers temps surtout, se croyait archiviste de la mémoire collective, sismographe de l'éboulement des illusions, commissaire-priseur, il feuilletait interminablement un catalogue de projets avortés, vide. Il n'arrêtait pas de répéter qu'il écrirait un livre sur ce passé, qu'il composerait un récit à partir de ce qu'il avait vu, appris et désappris. Il ne l'a jamais écrit ce livre, sentant confusément qu'il n'aurait été qu'une distillation de sa propre expérience, une contemplation de sa propre image dans un miroir, et qu'il risquait, au bout, de se retrouver face à un inconnu. »

Amparo avait écouté attentivement. Elle, Amparo, ne partageait pas le point de vue de Leyda. Le terme désenchantement ne pouvait s'appliquer à Normand. L'impression qu'il donnait de se laisser porter par les événements sans qu'il puisse jamais en fléchir le cours, sa façon de vivre sans ordonnance, sans échéance, sans horaire, sans itinéraire préétabli, sa manière même de se déplacer, de marcher, manière de chair, vraie, naturelle qu'il faudrait opposer à la raideur, à la manière d'os, elle, Amparo, traduisait cela par un autre mot : la nonchalance. Elle percevait dans cette nonchalance un style, un art de vivre au naturel, sans artifices, de faire les choses sans y penser, sans peine, sans affectation ; et cela se reflétait jusque dans les mouvements de son corps. Ce petit grain de folie magnifiait la vie, enivrait ceux qui côtoyaient Normand.

En disant cela, Amparo souriait. Elle se rappelait qu'au cours de leurs promenades au parc Gatineau, cet été où ils s'étaient rencontrés la première fois à Ottawa, Normand lui avait raconté qu'à Montréal il se sentait envahi du tremblement du désir chaque fois qu'il se trouvait devant certains panneaux publicitaires, ceux représentant, par exemple, la flexion d'un genou, d'un pied, une jambe gainée de soie, à l'angle de Peel et de

Sainte-Catherine. Face à la vitrine de Simpson, en plein mois de janvier, dans la morsure cruelle de l'hiver, quand des maillots de bain habillaient des nymphettes de celluloïd lascivement couchées sur le sable blanc, il était envahi du même tremblement. Dans l'application obstinée qu'elle mettait à définir Normand, Amparo semblait avoir oublié la présence de Leyda. Elle ne parlait plus que pour elle-même. Normand disait que ces images, immanquablement, le reportaient le long des dédales de couloirs sombres et veloutés de l'hôtel Mont-Royal, menant vers des chambres de style victorien aux lourdes tentures cramoisies. « À son retour de l'hôpital le jour de sa mort, j'ai trouvé sur la table de chevet un bout de texte froissé. » Était-ce à ces images d'affiches publicitaires que Normand pensait quand il l'a écrit ? Amparo l'a souvent relu depuis : « Je l'ai trouvée sur la plage, étendue sur le dos. Son corps avait pris une position d'abandon et elle tenait négligemment, ô merveille de la création, avec désinvolture, le bout d'une serviette de plage. Le souffle léger de la vie animait ce modèle suprême de beauté, plénitude de forme, perfection de contours où s'était cristallisé l'or du temps. Comment ne pas condamner, en la contemplant, ces peintres qui se vautrent dans la reproduction de la laideur ? » La nonchalance, selon Amparo, se manifestait jusque dans le mystère dont Normand entourait sa vie, sa réticence à parler de lui-même, de sa famille. Était-ce jeu chez lui que de ne pas étaler son jeu ? Jeu aussi l'écho qui flottait dans l'air, longtemps après qu'il eut parlé, titillant chez l'autre le désir de le découvrir, d'aller plus loin ? Quoi qu'il en soit, Amparo pensait que ce je-ne-sais-quoi n'avait rien à voir avec la désaffection, l'indifférence. Elle croyait au contraire que Normand n'arrêtait jamais d'observer le monde pour y déceler les faces cachées, le comprendre, même s'il devait en être blessé. Alors, il souffrait en souriant. Cela, tout compte fait, Amparo l'appelait la nonchalance.

Amparo parlait rapidement, un tourbillon de mots qui provoquaient chez Leyda une sensation d'essoufflement. Elle parla de ce qui lui était arrivé : sa rencontre avec un homme, un amour brièvement vécu et le vide intolérable qui s'en était suivi. Leyda s'agitait sur son siège, regardait l'heure à sa montre-bracelet. Elle cherchait désespérément un moyen de mettre un terme à cette visite. Amparo n'arrêtait pas ; les mots déjà prononcés forçaient d'autres mots. Il y en avait tant qu'elle avait dits pour rien et Leyda se demandait si les mots ne constituaient pas pour cette femme une pellicule de protection. Le rythme haché de ces heures de conversation, cet amalgame d'ennui et d'intensité l'avaient épuisée ; cependant, les choses une fois mises en branle, elle n'avait aucun pouvoir de les arrêter.

Amparo continuait le récit de son séjour à Miami sans remarquer l'énervement de Leyda. Le matin, sans ouvrir les yeux, de peur d'être aveuglée par la lumière du jour, elle repoussait drap et couverture, allongeait la main, pressait le bouton digital de la radio. Le noyé ramené de justesse à la vie garde de longues minutes après son sauvetage, au fond des yeux, le reflet des verts fonds marins. Au réveil, Amparo arrivait difficilement à reprendre ses sens, à effacer cette taie grise qui lui brouillait la vue. La voix du speaker dissipait la matrice d'ombre qui l'avait recouverte durant la nuit, sanglée dans un étroit linceul de solitude et d'effroi. L'odeur du café que Normand préparait avant de sortir achevait de la ramener dans le royaume de la chaleur diurne. Normand, elle ne le voyait presque jamais le matin. Il se dépêchait de partir, très tôt, magnétophone en bandoulière, pour le centre des réfugiés, à Little Haïti. Là, avec d'autres camarades, il organisait manifestations, campagnes de financement, meetings, faisait appel aux démocrates libéraux. Il fallait obtenir, même au prix d'un fort cautionnement, la libération des prisonniers de Krome. Il rentrait le soir, essoufflé, fourbu. Dans cet aplat du temps et de l'espace dont elle disposait, Amparo était très calme, se livrait sereine à une paresse lascive, rythmée par les repas, la plage, les bains de mer et de soleil. Un soir, en voyant le sourire lumineux de Normand quand il ouvrit la porte du studio, elle sut qu'il était porteur d'une bonne nouvelle. Les autorités de l'immigration avaient lâché prise. Pour des raisons humanitaires, Brigitte, Amédée et quelques autres avaient été libérés.

Cette nuit-là, ils connurent l'agitation de ceux qui voudraient rester immobiles pour trouver un sommeil qui fuit. Dans cet intervalle d'attente, que de mots, que de silences n'ont-ils pas échangés. Silence des mots. Loquacité des silences ! Les frontières entre eux s'étaient effacées, les digues avaient cédé, toutes vannes ouvertes. Qu'il avait été long le chemin à parcourir pour atteindre la liberté des corps. Nuit de fiévreuses équipées. Amparo dévale, déboule, roule au fond de la nuit. Vertigineuse remontée qui conduit de constellation en constellation. Son corps n'est plus qu'une eau diaphane, un lieu infini, sans repère, sans limite, hors du temps, sans passé ni avenir. Nuit revêtue d'une luminosité grandiose. Amparo s'enfonce, habitée par un désir de chute et d'envol à la fois. Lenteur asphyxiante ! Elle n'est plus qu'un morceau de liège flottant, suivant docilement le fil de la rivière. Tout à coup, un ouragan dévastateur : elle est une feuille emportée par la bourrasque d'automne. Nuit lavée de toutes contraintes, de toutes réticences. Jouir de chaque modulation, de chaque houle, de chaque convulsion, de chaque coup de boutoir, dans la cristallisation des sens réveillés. Jouir jusqu'à en perdre conscience, puis être à nouveau elle-même, reconnaître le corps de Normand pourtant si étranger, si familièrement étranger et, l'instant d'après, brûler, torche incandescente, couler, lave bouillante en fusion. Son être connut des états simultanés et successifs : entraînement vers des gouffres profonds, abandon dans le plaisir de l'autre, condensation de toutes les jouissances ; toute la lumière du soleil amassée dans un morceau de cristal abandonné en plein désert. Et soudain, la clameur, l'éclatement, mille flamboyants en fleur, masquant tout l'horizon...

Bouche bée, Leyda écoutait Amparo. Jusqu'où pousserait-elle l'impudence de ses propos ? Elle n'était pas la première femme avec laquelle Normand la trompait. Le fait d'avoir été la dernière lui conférait-il certains droits ? Leyda devrait l'arrêter, peut-être même l'éconduire ; au lieu de cela, elle continuait à l'écouter. Les paroles d'Amparo soulevaient en elle des questions auxquelles il lui fallait trouver réponse. A-t-il existé un temps où elle a dû connaître des sensations identiques : elle n'a jamais su de toutes manières exprimer ses sentiments ; elle n'a jamais possédé ce don d'imagination qui lui aurait permis de raconter les épisodes heureux de sa vie de couple, de retrouver la douceur de certains gestes, la musique de certaines intonations. La mémoire d'Amparo continuait à égrener les souvenirs d'une nuit où toutes distances entre Normand et elle s'étaient effacées. Amparo gardait la mémoire d'un corps. N'avait-il été question dans cette rencontre que du consentement de deux corps ?

Dans le jardin de la maison de la rue Oxford, quelque chose fit bouger les branches dépouillées du lilas. Deux écureuils jouaient à cache-cache, profitant du sommeil du chat installé sur le tablier de la fenêtre éclaboussée de soleil. Normand lui avait demandé de l'accompagner à Miami ; elle s'était réfugiée derrière les inextricables obstacles d'une conscience professionnelle : elle se devait d'être présente au défilé qu'organisait sa maison de couture. Elle avait dessiné tous les modèles de la collection de printemps. Normand aurait pu insister pour qu'elle vienne. À une autre époque, il aurait argué que la seule véritable obligation qui liait les êtres est celle qu'impose l'amour. Il avait accepté sa décision sans protester. Il lui était impossible de déterminer quand cela avait commencé. Il n'y avait pas eu de commencement. Un glissement, pareil à celui de la terre arable inexorablement attirée vers la mer. Un matin, on s'aperçoit que les sommets des montagnes sont tout érodés et il est déjà trop tard pour y remédier. Quand le haut-parleur invita, ce matin de janvier, les passagers à destination de Miami à se présenter à la porte d'embarquement, elle avait regardé Normand partir seul, sans elle. Elle aurait dû comprendre que leur couple s'était éteint doucement, sans heurts, sans soubresauts : la lampe avait épuisé son huile. Il n'y avait en elle ni amertume ni angoisse, rien qu'une mélancolie diffuse, pareille à ce soleil d'automne dont elle percevait les derniers rayons par la fenêtre.

Sans même s'être rendu compte de l'inattention de Leyda, Amparo continuait à égrener le chapelet de ses souvenirs. Avec tous les bouleversements qu'ils avaient connus pendant près de deux semaines, elle n'avait guère eu l'occasion de faire du tourisme et pensait déjà à son éventuel retour à Vancouver. Elle n'avait pas vu les Everglades dont quelques amis lui avaient vanté la surprenante beauté. Ce parc est le dernier endroit subtropical resté vraiment sauvage aux États-Unis. Très tôt, le matin du 7 février, ils partirent en voiture. Promenade en bateau sur les canaux qui couraient entre les marécages, visite à pied pour voir les alligators, les crocodiles, les oiseaux-serpents. Sur le chemin du retour, Normand, mort de fatigue, ouvrit la radio, la régla sur une station qui diffusait de la musique classique. Arrivé à l'appartement, il se coucha tout de suite et ne tarda pas à s'endormir. Pour meubler sa solitude, Amparo alluma la télévision. L'histoire, disait le speaker, basculait en Haïti ; les journalistes du monde entier avaient investi les lieux. Elle était trop jeune pour se rappeler les événements qui ont marqué la chute de Batista à Cuba, d'après les images qui lui arrivaient par le truchement de l'écran, cela avait dû être pareil. La chute d'une longue dictature libère le refoulé.

Des souvenirs de cette nuit, Leyda en avait

plus que sa mémoire ne pouvait en porter. Elle en était apesantie. Sur la place des héros de l'Indépendance, profitant de l'impunité que garantissait la présence des journalistes étrangers, des grappes d'humains manifestent contre la tyrannie. Un homme, visage émacié, debout sur le capot d'une fourgonnette, harangue la foule. Entre cette masse et lui, une véritable symbiose. Elle applaudit à chacune de ses phrases, répète en chœur ses slogans. Les policiers sont là, matraque à la main, ils n'interviennent pas. Des centaines de têtes approuvent l'énumération des méfaits de ce régime. Débauche d'images des quatre coins du pays, une orgie de petites scènes glanées ici et là, dans les villes et les bourgades. Leyda reconnaît la ville des Cayes. On n'oublie pas un lieu où l'on a vécu, où l'on est revenu été après été, dans la même maison. Voici la place d'Armes à l'entrecroisement des quatre rues principales et les maisons à étage unique, disposées en carré autour d'elle. Les galeries hautes, surmontées d'arcades, communiquent entre elles d'une intersection à l'autre, invitant à la flânerie, à l'amitié, au partage. Pour y accéder, neuf marches en béton, véritables garde-fous contre les raz-de-marée. La ville des Cayes semble s'incurver pour recevoir les paquets de vagues toutes les fois que les caprices du vent incitent la mer à franchir les limites de la baie. Les jours torrentiels, la Ravine du Sud entre en fureur, roule des flots tumultueux et rouges, gronde, menaçante, oublie sa route d'embouchure, emprunte avenues, rues et ruelles. L'ouragan passé, elle réintégrera son lit de sable en abandonnant, dédaigneuse, ses trophées : branches et troncs d'arbres, toiture de chaume et de tôle, cadavres d'animaux et d'humains, tant et tant d'éléments qui, jour après jour, pendant une bonne semaine, empuantissent l'air.

Le voyageur qui ne connaît pas la ville des Cayes ou qui la connaît en passant, à la sauvette, pourrait croire en voyant les pans de mur dressés tout le long des côtés de la place, qu'ils abritent des demeures dignes de hobereaux de l'époque coloniale. Une observation plus attentive permet cependant de remarquer, à intervalles réguliers, percés dans les murs de briques jaunes, de grands portails de bois sculpté, montés sur des gonds rouillés. Au centre de chacun d'eux, un portillon à demi ouvert ménage l'heureuse surprise d'une allée pavée qui vient mourir sur un jardin où poussent de façon plus ou moins fantaisiste arbres et fleurs. Les maisons sont séparées les unes des autres par de hautes murailles hérissées de tessons. Quand le soleil, presque toujours au rendez-vous, frappe ces brisures de verre multicolore, on dirait mille joyaux précieux étalés, attendant d'éventuels acheteurs. Leyda revisite le foyer de son enfance. Il a gardé le même aspect de dignité vieillotte. Dans la grande pièce qui sert de vestibule, un lustre à branches, agrémenté de feuillages, de fleurettes, de pendeloques de verre se transformant en feu d'artifice de couleur dès qu'allumé. Un grand escalier de bois conduit aux chambres. Leyda connaît le grincement particulier de chacune des marches. Les portes-fenêtres ouvrant sur le balcon regardent sur la place et offrent aux promeneurs la permission de reluquer à discrétion.

Leyda est seule dans la chambre de la rue Oxford. Les vitres ont revêtu leur parure d'hiver, mille éclats d'étoiles dessinés par le givre. La météo a annoncé moins vingt degrés, l'une des nuits les plus froides de la saison. Recroquevillée dans la chaleur de son édredon, Leyda sent monter l'entêtant parfum du ilang-ilang dont les branches frôlent la jalousie, à chaque souffle de vent. Elle hume celui, plus subtil, du jasmin de nuit. Ces parfums anéantissent, absorbent le froid dru de la nuit québécoise. Le portillon s'ouvre, une femme sort. La voilà en pleine lumière. Elle porte une longue robe d'intérieur bordée de volants, un bouquet de lauriers accroché à ses cheveux, juste au-dessus de l'oreille droite. Elle avance sur la chaussée d'un pas vif. « La musique, la musique », crie-t-elle en direction du balcon où trois jeunes, torse nu, achèvent d'accrocher un haut-parleur à la balustrade de bois ajourée. Éclatants, les accents d'une méringue jusque-là interdite, qui parle de démocratie, du bleu d'azur du drapeau de la guerre de l'Indépendance auquel la dictature avait substitué le noir.

Elle tourne, virevolte, les paumes ouvertes tendues vers le ciel en un geste d'allégresse. La musique, puissante, torrentielle envahit le petit matin. Un homme l'a rejointe. Lui non plus ne porte pas de chemise ; une couronne de cheveux grisonnants, une barbe touffue soigneusement entretenue corrigent la calvitie qui lui dégageait le haut du crâne. Il l'enlace, la serre sur son torse poilu, l'entraîne dans un tourbillon de figures de danse qui font gonfler les volants de sa longue robe, en balancement de crinoline.

D'abord seul, le couple est bientôt rejoint par des dizaines, des centaines d'autres. Tous reprennent en chœur le refrain de la méringue, rient fort, brandissent des drapeaux rouge et bleu. Cette liesse, ces gestes insolites, effaceront-ils vingt-huit longues années de peur et de silence ? Toutes les fenêtres de la rue sont éclairées. Un tintamarre de casseroles et de chaudrons mêle, à la tonitruante musique diffusée par le haut-parleur, le ferme tam-tam du refus.

La voix d'Amparo continuait son récit. Normand, esquinté par le grand air, dormait d'un sommeil aussi profond que l'épaisseur de l'histoire haïtienne. « Regarde, lui dis-je, quand j'eus réussi à le réveiller. Regarde, ils prennent l'avion. » Normand se frotte les paupières, observe la scène du départ sans mot dire ; la ville est aux mains du peuple. Les cloches carillonnent. Tout le pays semble s'être donné rendez-vous dans les rues.

Hommes, femmes, enfants s'embrassent, s'étreignent en pleurant, agitent des drapeaux, des branches de laurier fleuries, exultent…

Pêle-mêle, les souvenirs des journées qui suivirent remontent, entrent dans le présent. Leyda ne sait s'ils sont évoqués par Amparo ou s'ils retentissent en elle. Carnaval improvisé sous un ciel rouge écarlate. Il n'y a plus de couvre-feu. Des centaines de gens envahissent l'esplanade qui longe les grilles du palais présidentiel, si longtemps interdite à la circulation. La nuit s'annonce superbe. Déjà on peut voir un mince croissant de lune auréolé d'une pâle phosphorescence, dans un ciel où s'effilochent des lambeaux de nuages rosés qui gardent un dernier souvenir du soleil. On papote avec les militaires de faction qui, complaisants, cassent des branches des lauriers fleuris du parc et les tendent, à travers les barreaux, aux promeneurs. La foule grossit ; le climat change : vigoureux tam-tam d'un tambour, rythme entraînant d'une vaccine, chansons improvisées dont les paroles, grossières, truculentes, scatologiques sont reprises en chœur. On brandit des pancartes : le dictateur est assis sur un W.-C., son trône « à vie ». De sa femme, l'imagination n'aura retenu qu'un visage anguleux, froid, aux lèvres minces retroussées, pleines de morgue. Elle catalyse toutes les aigreurs, elle qui passe pour l'instigatrice de tous les méfaits du régime. Sur une affiche, elle traîne un sac dégorgeant de dollars verts, tandis que son époux est sodomisé par un chien. Trois décennies de peur s'effacent en un tournemain.

Il n'y a presque plus de clarté sur la place des héros de l'Indépendance maintenant déserte. La foule se déplace au pas de course, vers le bas de la ville. Des têtes hilarantes de grappes d'enfants ; des visages d'hommes et de femmes convulsés de colère, durcis par la haine. Les rues surgissent peu à peu de l'obscurité, avec leurs rigoles au ciment verdi, velouté de limon, au fond desquelles stagne un liquide épais, gras, noirâtre, sous les lueurs blafardes de la lune. Leyda en sent monter l'odeur fétide. Cité de l'Exposition. Les arbustes qui égayaient autrefois cette aire sont presque totalement dépourvus de feuilles. Leurs troncs rongés par la poussière et la vermine présentent un aspect souffreteux. La brise qui vient de la mer agite leurs bras en des gestes grotesques, désespérés.

La foule hostile, agressive, martèle l'asphalte d'un pas guerrier. « À la mer ! À la mer ! » hurle-t-elle. Des mains vengeresses indiquent un point au bout du quai. Christophe Colomb, figé dans le bronze, se dresse, lourd, colossal, sur son socle de granit argenté par les feux d'un projecteur. Le conquistador de bronze, impassible sous le ciel tropical, pointe vers la mer un index de bronze, la bouche ouverte dans un cri de bronze, une attitude d'élan, d'enthousiasme et d'immortalité. Le vent fait claquer des morceaux d'étoffe usée, verts, blancs, rouges, attachés à des hampes rappelant aux mémoires oublieuses que cette statue, placée là depuis près d'un demi-siècle, qui donnait dos à la ville et contemplait le bleu infini de l'océan, fut un don des Italiens du bord de mer à l'occasion des célébrations du bicentenaire de Port-au-Prince. Leyda voit des mains nues, des doigts recourbés en crocs empoigner la statue, la secouer avec une évidente rage, jusqu'à l'arracher de son socle et la précipiter à la mer. « Retourne d'où tu es venu ! » vocifèrent des bouches grimaçantes, furibondes.

Christophe Colomb était venu de la mer ; tous les malheurs de ce peuple lui sont toujours venus de la mer : les négriers, les flibustiers, l'armada du général Leclerc, l'occupation américaine, les cyclones, la petite vérole, la syphilis, le sida. Christophe Colomb mourait une seconde fois. En le noyant, le peuple s'est affranchi de la tyrannie des images d'Épinal, le départ de Palos de Moguer, les grondements de colère des marins, la découverte qu'il a appris à nommer depuis, la Conquête, le baptême des Indiens quisqueyas, l'évangile de ses quatre voyages, les chaînes, sa fin pitoyable. Que s'est-il passé dans la profondeur des cœurs ? Qu'est-ce qui a pu réveiller les consciences pour qu'elles ne conservent de Colomb que l'image du pillard assoiffé d'or, de ses négoces ? Le fantôme du Génois hante-t-il encore, après cinq siècles, l'inconscient de ce peuple ? La conquête est à l'origine de tous ses malheurs. En déboutant cette statue, en la restituant à la mer, la voilà, cette foule, en quête de son destin ; la voilà, vierge, la voilà, à la croisée de l'est et de l'ouest, de la mort et de la renaissance, de la nuit et du jour ; la voilà, nue, dépouillée de sa gangue, sans pulpe, pur noyau.

Une place vide. Des navires immobiles sur la mer, une mer qui va très loin. Jusqu'à la ligne blanche de l'horizon. Le rugissement humain n'est plus qu'un bourdonnement lointain. Tandis que persiste la puanteur lisse de la Croix-des-Bossales, mélange d'odeurs de poissons, de senteurs de fruits pourris, de putridité, d'eaux usées croupissantes, indiscernables dans leur commune décomposition. « Agitation de surface ! » La voix d'Amparo ramena Leyda à la réalité de la rue Oxford. « Agitation de surface », martelait Normand. Pourtant tout paraissait beau et clair, pareil à la lumière des commencements. Il se leva, éteignit l'appareil qui rediffusait le discours du général-président, marcha jusqu'à la fenêtre, contempla un long moment les nuages roses qui, poussés par une brise légère, voguaient dans le ciel. Puis, brusquement, Normand tourna dos à la mer, se frotta les paupières. Voulait-il effacer la brûlure de ses souvenirs ?

« En vérité, me dit-il, l'histoire bouge difficilement dans ce pays. Après trois décennies de répression, de tortures, de dégradation, d'avilissement, on aurait pu s'attendre à une fluidité de la parole. Mais, non ! L'histoire a choisi pour s'exprimer la figure d'un général ivrogne et bègue. L'histoire bégaie dans ce pays ; avant de parler, elle attend qu'on nettoie cette auge, qu'on fasse la toilette des mots, qu'on leur redonne leur vrai sens. Alors seulement, tout redeviendra possible : agitation de surface ! » me répéta t-il une troisième fois. On n'a jamais pardonné à ce peuple d'avoir cru, ce matin de 1804, à la liberté. Son histoire est jalonnée d'événements qu'il croit avoir accomplis, de chutes d'empires, de gouvernements provisoires ou pérennes ; tout cela est toujours venu d'ailleurs et tous ceux dont on tire les ficelles en coulisse le savent. Ils savent qu'ils ressemblent à des saltimbanques sous un chapiteau de cirque. Ils occupent le devant de la scène, exécutent leurs numéros de trapèze, glorieux, font leur tour de piste, tout en sachant qu'ils roulent pour de gros bonnets en coulisse. Même ce dictateur de pacotille savait qu'il n'était qu'une pitoyable marionnette. Un chroniqueur raconte que le jour du décès de son père, il s'était enfermé dans sa chambre, à double tour, avec une caisse de whisky, criant à tue-tête : « Je ne veux pas être président. » Sa mère, ses sœurs, la troupe de flagorneurs, spécialistes de l'échine courbée et de la conscience aplatie, frappaient à la porte, le suppliant de sortir. Il fallait que la cérémonie de prestation de serment ait lieu avant l'annonce à la nation du décès du père. Le fils, barricadé dans sa chambre, n'arrêtait pas de répéter qu'il ne voulait pas être président. On dut enfoncer la porte et le traîner de force jusqu'à la salle des pas perdus où l'attendaient le juge de la Cour de cassation, les membres du cabinet ministériel, le nonce apostolique flanqué de l'archevêque et la camarilla des courtisans. Pupilles dilatées, yeux injectés de sang, voix pâteuse, il paraissait terrassé par la faiblesse et l'impuissance...

IV

LA MORT

AMPARO voulut se changer les idées, échapper à l'air soudain lourd et triste de l'appartement, s'arracher au pessimisme de Normand. Elle sortit dans le petit matin qui sentait déjà le café frais, le pain chaud, le parfum des azalées ouvrant délicatement leurs pétales aux rayons du soleil. Elle erra dans la ville, intéressée par des riens : une bande de pigeons picorant les miettes qu'avaient laissé tomber les dîneurs de la veille ; des garçons de café faisant briller les tables sous leurs vigoureux coups de torchon, les éventaires multicolores des marchands de fruits et de légumes. Elle marcha jusqu'à épuisement et il était plus de dix heures quand elle regagna l'appartement. Youyou était là. Il avait apporté de la bière ; Normand et lui la buvaient à même la canette en commentant les dernières nouvelles. Elle apprit alors qu'Amédée Hosange était mort. Ses funérailles seraient chantées dans les prochains jours : le temps de remplir certaines formalités légales et de recueillir les fonds nécessaires.

Elle n'en pouvait plus d'entendre parler de désastres collectifs, de logiques déboussolées. Pour s'abstraire de cette conversation, elle se mit à observer une estampe japonaise accrochée au mur. Son caractère insolite dans le décor du studio de Ramon la frappa pour la première fois. Jusque-là, elle n'avait vu dans cette estampe qu'une réunion d'hommes et de femmes empêtrés dans des épaisseurs de kimonos, qui devisaient tranquillement. En regardant de plus près, elle aperçut les menus détails auxquels le peintre s'était attaché : le profil du nez, l'amande des yeux, le dessin des lèvres, la courbe d'un bras, l'arrondi d'une épaule, la cambrure d'un dos, le galbe d'une jambe. Et tout à coup, au milieu d'un dédale de soie, des organes sexuels mâles, aux proportions monstrueuses, qui semblaient exécuter une tâche mécanique sous l'œil indifférent de leurs propriétaires. Ramon était certainement un esthète !

Elle avait fait cette réflexion à haute voix. Un éclat de rire de Youyou lui répondit : « Ramon, un esthète ? Tu parles ! » Et il se mit à raconter mille anecdotes, les unes plus croustillantes que les autres, sur son « esthète » comme il disait ironiquement, mille anecdotes qui faisaient de Ramon une sorte de macho légendaire, fin danseur de tango, émule des plus célèbres gauchos argentins du début du siècle.

Leyda les connaissait, ces anecdotes. Le sens de la mesure de Youyou avait dû les amplifier à la dimension d'une épopée dont les échos avaient traversé venelles, ruelles, rues, boulevards, franchi les ravines plus sèches que les os des vaches faméliques, pour atteindre la plaine.

Leyda crut apercevoir une certaine altération dans la voix d'Amparo quand elle reprit son récit. « À partir de ce jour, tout s'embrouille dans ma tête. Cette impossibilité de dire si certaines choses se sont passées avant ou après les funérailles d'Amédée. Une chose est certaine cependant : à partir de ce jour, rien n'a plus été comme avant. Normand et moi n'avons plus fait l'amour ensemble. Le soir, allongée contre son corps immobile, je le caressais, jouissant de cette chaleur qui précède l'amour. Normand s'excusait. Il se sentait fatigué. Je me serrais contre lui et il s'endormait, seul.

Le jour des funérailles, je décidai de l'accompagner. Il m'avait souvent parlé d'Amédée ; il avait appris à le connaître à travers les récits de Brigitte. Déjà, la première fois qu'il s'était rendu au camp de Krome, Amédée n'était qu'une loque muette. « Vois-tu, me dit Normand au moment de descendre de voiture devant la petite église où s'étaient entassés les membres de la communauté, nous avons joué le même jeu, Amédée et moi ; nous avons cru, tous les deux, qu'il fallait se mettre à l'abri, partir, attendre que l'orage soit passé, que le ciel soit redevenu beau. En fait, notre départ a été définitif, sauf que moi, je suis encore vivant. » Je levai la tête vers lui. Il avait ce regard qui me faisait si mal à chaque fois que je le surprenais, le regard de quelqu'un qui attend que quelque chose bouge, se mette en mouvement pour changer le cours de sa vie.

Nous eûmes du mal à nous approcher de Brigitte et dûmes attendre que le convoi soit arrivé au cimetière pour la saluer. Pas un cri, pas un sanglot ne troublait le silence de ce lieu. Aucun de ceux qui avaient connu Amédée Hosange n'était là pour ponctuer de ses complaintes cette cérémonie funèbre. Je n'arrivais pas à détacher mon regard de ce modeste cercueil que l'assistance publique réserve aux indigents. Alors qu'on s'apprêtait à le descendre dans le trou fouillé au pied du mur de pierre, la voix de Brigitte, une voix rocailleuse de fatigue, s'éleva : « Il n'y a guère bien longtemps de cela, ce nègre qui va pourrir dans ce sol étranger où il n'a jamais trouvé que souffrance était un homme libre et heureux, paré des attributs du succès : champs de maïs et de cannaie, troupeaux de bœufs et de chèvres, famille élargie et respectée. Un jour, quand la terre a cessé de donner, que le dictateur s'est mis à confondre le pays et son ranch, distribuant des régions, des secteurs entiers à ses amis et courtisans avec privilège de rançonner et piller, quand, aux disparitions, emprisonnements, humiliations quotidiennes, s'est ajoutée la misère qui ballonne le ventre des enfants, peaux de tambours tendues, Amédée, fatigué de résister, a tout abandonné pour chercher, loin de la terre de ses aïeux, le salut. Que les mânes des ancêtres intercèdent pour lui, dans le lieu de vérité où il se trouve ! »

Émue, l'assistance entonna spontanément un cantique que je n'avais encore jamais entendu.

Comment chanterions-nous sur une terre étrangère ?
Ramène-nous du milieu des pays
Orient et Occident, Nord et Midi
Achemine-nous, Yahvé, comme torrents au Négeb
On s'en est allé en pleurant
On s'en reviendra en chantant

La cérémonie achevée, Normand demanda à Brigitte ce qu'il pouvait faire pour l'aider. « Rien, répondit-elle. Je retourne à Port à-l'Écu. Je veux vivre, prier, être enterrée dans ma langue. Ici, sous les reflets blafards des néons, à l'ombre des gratte-ciel de béton, d'acier et de verre, les gens ont quelque chose de triste qui laisse l'impression qu'ils sont au terme de leur vie. Là-bas, face à la mer, à marcher contre le vent, contre les brisants, on ressent un élan de vie, un désir de lutter, de vaincre. Rien. Vraiment rien. » Brigitte répéta plusieurs fois le mot « Rien ». Elle constituait ainsi un rempart contre les dernières épreuves qui pouvaient l'atteindre sur ce sol étranger ; une protection contre la souffrance, contre l'infaillible balancier de l'horloge du temps. « Rien », ce simple mot aurait le pouvoir de lui épargner les tracas des jours à venir, de la laver de sa fatigue, de la propulser de l'autre côté de l'océan, de lui faire reprendre pied à Port-à-l'Écu. « Rien. » Elle prononçait un jugement sans appel sur Miami, la migration, le rêve brisé. Elle le ponctua d'un jet de crachat.

Normand admirait à travers Brigitte la ténacité de tout un peuple dont rien n'arrivait à éteindre la foi en un avenir meilleur. « Au fond, Normand, tu n'aurais jamais dû partir. Pourquoi n'y retournes-tu pas toi aussi ? » Il me regarda avec ce même air pétrifié qu'il avait eu au seuil de l'église et me répondit d'une voix lasse : « La chute de ce régime est arrivée trop tard dans ma vie, Dieu sait pourtant que je l'ai attendue ! »

Est-ce le soir des funérailles ou le lendemain ? Normand s'était endormi, tout de suite après s'être couché. Je ne parvenais pas à trouver le sommeil. J'entendais son souffle irrégulier ; de temps en temps, il gémissait. Je crois que j'avais fini par m'assoupir quand la voix de Normand criant me fit sursauter. « Ils reviennent, ils arrivent, ils sont là ! » Je le secouai vigoureusement. Il y avait de la frayeur dans les yeux qu'il fixa sur moi. J'allai lui chercher un verre d'eau. Il le but lentement, à petites gorgées, puis me raconta l'affreux cauchemar dont il avait été la proie.

Il était dans une maison au bord de la mer. Toute la nuit, des nuées d'oiseaux battaient des ailes, piaillaient : des escadrons en furie qui juraient, maudissaient la création car, me précisa-t-il, les oiseaux aussi savent maudire la création. Petit à petit, il était entré dans un état d'apesanteur où il se sentait léger, où il se voyait rapetisser jusqu'à n'être qu'un point dans l'épaisseur de la nuit. Il ne fut pas autrement surpris quand il se retrouva flottant dans cette étendue d'un bleu turquoise, entourée de montagnes. Nu, il nageait, distinguant à peine les montagnes et leur rebord puisqu'il était aveuglé par les reflets du soleil sur l'eau bariolée. Il nageait à grandes brassées, sans avoir prise sur son trajet. Il était poussé malgré lui vers le milieu de l'étang. Brusquement, il vit émerger de l'eau un marbre curviligne, un autel soutenu par des angelots potelés et joufflus. Il nageait sans nette conscience du temps ; un temps plat, figé, un temps mort. L'espace d'un cillement, le voilà debout sur les marches de l'autel, drapé de dignité, revêtu d'une chasuble richement brodée, le regard dirigé vers le ciel bleu, exagérément bleu, les mains levées en un geste d'offrande.

Soudain, un bruit de brisants sur des pierres. Il

se retourne et voit apparaître, sortant des flots et marchant sur l'eau, des hommes vêtus de calicot bleu. Leur visage est masqué par d'épaisses lunettes aux verres fumés. Ils pointent dans sa direction des mitraillettes au court canon. Aveuglé par la blancheur du soleil, il croit que ces hommes avaient trois visages découpés en plans qui se recoupaient. Ils marchent sur l'eau, ils marchent d'un pas guerrier vers lui, l'arme en joue, dans une clameur menaçante. Alors, il s'est mis à crier : « Ils arrivent, ils sont là. »

Mais Normand n'avait pas tout dit à Amparo. Il ne lui avait pas mentionné que ces visages, ces cauchemars l'ont habité toute sa vie. Leyda revivait ces nuits où Normand, en proie à ces terreurs nocturnes qu'il n'avait jamais réussi à apprivoiser, se réveillait, pantelant, en sueur, cerf aux abois. Ces images d'épouvante l'habitaient, mémoire vivante. Elles revenaient sous différentes formes hanter inexorablement son sommeil.

Il avait six ans quand l'événement se produisit. La famille était exceptionnellement réunie au salon des grandes occasions, cette pièce mal éclairée parce que mal orientée, couverte de boiseries et de stuc doré, meublée d'un canapé, de deux fauteuils en bois d'ébène aux contours galbés recouverts de velours grenat, d'une table de travail à piètement sculpté doré et dessus de marqueterie, d'une chaise droite en chêne massif. L'atmosphère, un air d'attente pareil à celui qui règne au tribunal quand va tomber le verdict de la cour. Le père était assis devant le bureau ; la mère avait pris place dans un des fauteuils et les deux garçons restaient vautrés sur le canapé. Le plus jeune écoutait cette histoire sans fin à laquelle l'aîné ajoutait chaque soir des épisodes nouveaux. Le débit de la voix ralentit au moment où les coups de feu éclatèrent dans la nuit et s'interrompit net au crissement des roues d'une jeep sur l'asphalte ou plutôt à leur chuintement, car il pleuvait dehors. Il pleuvait sur les pans de mur des maisons délabrées ; il pleuvait sur la plaine grisâtre, sur les flaques d'eau, et les gouttelettes y dessinaient des ronds argentés ; il pleuvait sur le terrain vague ou sur ce qui en restait, depuis qu'il avait été défoncé par une herse gigantesque ; il pleuvait sur le cercle des collines aux alentours où avaient été abandonnés les corps des compagnons de cet ami du père, tellement intime qu'il était le parrain de Ramon. Par miracle, il avait échappé au feu nourri des miliciens et des soldats. Il pleuvait tant sur la chaussée que même les chiens l'avaient désertée.

La mère assise dans son fauteuil — depuis elle est restée enfouie dans ce fauteuil — regardait par la fenêtre, suivait le chemin de l'eau sur la vitre. Les yeux qu'elle tourna vers l'intérieur du salon étaient empreints d'un absolu désespoir quand elle dit simplement : « Les voilà ! » On enfonçait rageusement à coups de pied la porte d'entrée qui finit par s'ouvrir et livrer passage à une dizaine d'hommes habillés en civil, armés de mitraillettes et de gourdins. Normand se souvient encore du reflet mat de leurs casques et de leur taille colossale ; ils venaient d'un autre monde. Ils entrèrent dans la maison en abaissant leur visière sur leur front. Normand ne se souvient pas de leur visage ; leur visière avait pris la couleur d'ombre du salon mal éclairé et l'ombre avait pris la couleur de leur visage. Peut-être étaient-ils infirmes, le visage mutilé. Peut-être n'avaient-ils jamais eu de visage. Leurs mains, leurs doigts sur la gâchette de leurs mitraillettes étaient si crispés qu'ils se confondaient avec l'acier de leurs armes, et celles-ci devenaient le prolongement de leurs corps, volumineux, gigantesques, pareils à des troncs de campêche. Deux hommes ont poussé le père au fond de la pièce, l'ont ligoté sur la chaise. À droite, une énorme bouche avec des dents rares jaunies par la nicotine martelait une seule et unique question : « Où l'as-tu caché ? » À gauche, un chauve ventru n'arrêtait pas de glousser d'une voix sardonique : « Réponds ou je vais bientôt te faire chanter des vocalises de tourterelle. » Il s'est mis à frapper le père, toujours au même endroit, à un même point sur le front. Le sang giclait à chaque coup de gourdin. Le sang a souillé les livres et les papiers sur la table. Le père a-t-il hurlé de douleur ? Ramon dit qu'il s'est senti soudain envahi par une haine terrible que l'homme qui le maintenait immobile dans le coin opposé a dû lire dans ses yeux. Il lui asséna une gifle si puissante que le sol se déroba sous ses pieds. Au milieu d'une pluie d'étoiles, il fut projeté la tête la première contre le plancher. L'homme à gauche continuait à frapper le père et Ramon regardait la scène, étendu sur le sol taché de sang. Il regardait les yeux bien écarquillés. Il a assisté à l'entrée d'un moustachu vêtu sans élégance d'un costume noir, le bas du pantalon serré dans des guêtres de garde-chasse. Les autres se sont mis au garde-à-vous, spontanément. L'inattendu personnage fit le tour du salon, se dirigea vers la fenêtre, tira d'un coup sec le rideau plongeant la pièce dans une quasi-obscurité, puis pivota sur ses talons. Ramon se souvient du regard du père, une boule de feu, de fierté et de mépris. D'un geste lent, le moustachu dégaina son revolver et en appuya le canon contre la tempe droite du père. Un déclic, un seul. La pièce fut traversée par une trouée de lumière qui éclaira sur le sol une flaque de sang. La balle n'avait pas raté sa cible. Normand était resté emmuré dans ce souvenir et toutes ses nuits depuis furent peuplées de cris de suppliciés.

Recroquevillée, les deux coudes posés sur ses genoux, le menton dans les paumes, Leyda écoutait le récit des derniers jours de Normand. La jeune femme essayait de se rappeler les paroles, les regards qu'ils avaient échangés, les multipliait, les disséquait, les transformait indéfiniment, jusqu'à parvenir à ce dimanche matin où elle fut réveillée, disait-elle, par un grand éclat de rire.

Normand, frais et dispos, était en train de lui chatouiller la plante des pieds. « Allons, Amparo, si tu ne te réveilles pas, tu vas finir par prendre racine. » Il lui apprit qu'il était dix heures, que le soleil était au rendez-vous et le ciel d'un bleu très pur. Cela faisait des jours qu'elle ne lui avait pas vu pareille bonne humeur. « Pas la peine de se lever. Pourquoi ne pas rester au lit jusqu'au cœur de midi ? » lui demanda-t-elle. La veille, ils avaient acheté des raisins, des mangues et des pastèques, ils les dégustèrent et s'installèrent pour voir un film à la télé. À la pause publicitaire, Normand se rendit compte que la tête lui tournait. Amparo le cala le plus confortablement possible sur des oreillers, pensant qu'il souffrait d'un malaise passager. Moins d'une demi-heure après, il se plaignit de douleurs à la poitrine et d'une sensation d'étouffement. Par intervalles irréguliers, l'air lui manquait. Elle voulut appeler le secours d'urgence, Normand protesta : l'hôpital, il connaissait. Il lui parla de ses différents séjours dans des institutions hospitalières. Une fois, il eut pour voisin de chambre un homme d'affaires d'une cinquantaine d'années, souffrant d'ulcère d'estomac. Le lendemain de son arrivée à l'hôpital, les deux malades furent réveillés par un échalas qui portait un cabaret rempli de seringues. Et le rituel commença : prise de sang, pouls, pression artérielle, pesée, température, distribution de comprimés. Cela n'en finissait plus ; l'homme s'empara du téléphone, appela sa femme : « Chérie, viens immédiatement me chercher. L'hôpital n'est pas un endroit vivable. Je suis trop malade pour être là. »

Une autre fois, il fit la connaissance d'un extravagant personnage : triple menton, triple ventre ; des guiboles ulcérées mettaient en évidence des chaussettes rouges ajourées. Et bavard ! Il s'appelait Benvenuto Antoniazzi, se déclarait vénitien, traînait ses quatre-vingt-cinq ans et un corps brûlé à tous les incendies du siècle : la bataille de Tripoli, 14/18, l'Espagne, l'honneur de sa vie, 39/44, les camps de la mort, l'évasion, la Résistance et pour finir un éclat d'obus l'avait soulagé de ses testicules. Normand lui demanda comment un homme qui a eu la chance de naître à Venise pouvait choisir d'émigrer, laissant après lui les barcarolles, la piazza San Marco, le palais des Doges. Il fit une longue tirade au bout de laquelle il conclut : « Venise est une ville triste ! Et puis, seuls les simples d'esprit croient qu'on vient d'un lieu précis. On peut venir aussi d'endroits qu'on n'a fait que traverser en cours de route. »

Amparo rit jusqu'aux larmes lorsqu'il lui fit le portrait d'une des résidentes qui accompagnait le néphrologue au cours de ses visites. Elle faisait moins d'un mètre cinquante. Un petit bout de femme, avec un tronc très court qui s'étranglait à la taille, avant de rebondir en une croupe aux rondeurs suggestives, des jambes arquées et des pieds si petits qu'on avait de la peine à croire qu'elle puisse s'en servir pour déambuler dans les longs couloirs de l'hôpital. Amparo riait encore quand Normand se mit à suffoquer. « Ouvre la fenêtre, Amparo, lui dit-il, je manque d'air. » La fenêtre était grande ouverte.

Affolée, elle appela Secours d'urgence et revint s'asseoir à côté de Normand. La main qui émergeait de la couverture, paume tournée vers le haut, se crispait de temps à autre et Amparo pouvait discerner nettement le battement du pouls au poignet. D'une voix haletante d'athlète ayant couru des kilomètres, il lui dit : « Amparo, j'aurais voulu revenir avec toi à Montréal, nous aurions vu ensemble les érables rougir à l'automne. Nous aurions pris le ferry-boat qui traverse le lac Champlain. Tu aurais ri dans le plein vent. On aurait roulé dans les champs du Maine, jusqu'à les transformer en dépotoirs de soleil. J'aurais aimé revoir La Havane avec toi ; on aurait dansé jusqu'à l'aube dans une fête de *quince años.* Place de Bunkerstrass, à Berlin, tu serais cette femme dans ce tableau de Colville, courant à perdre haleine après un autobus. À Amsterdam, je t'aurais reconnue à tes yeux d'eau même dans une vitrine de chair à l'étal. » Les sirènes de l'ambulance trouèrent le silence de ce dimanche ensoleillé. À partir de ce moment, tout se passa très vite : les ambulanciers, l'injection intraveineuse, le défilé des palmiers, la procession de buildings, la course des nuages. On voyait déjà la façade de brique de l'hôpital quand Normand me dit d'une voix caverneuse : « Amparo, je vais m'envoler. » Avant que les ambulanciers aient eu le temps d'intervenir, Normand était mort.

Amparo recouvrit son visage de ses deux mains, réunies en coupe. Combien de fois la jeune femme, depuis plus d'un an, avait-elle dû refaire ce geste ? Leyda commençait à comprendre le sens de sa visite : une ultime tentative de décharger sur une autre épaule le poids de la horde de souvenirs qui la poursuivaient depuis la mort de Normand. Comment, elle, Leyda, pouvait-elle l'aider ? Que pouvait-elle pour cette femme qu'elle voyait pour la première fois et qu'elle ne reverrait sans doute jamais plus ?

Et le flux silencieux de ses souvenirs à elle, Leyda. Cet appel dans la nuit noire de l'hiver, la voix de Youyou traversant l'espace, l'immensité de l'océan, lui annonçant que Normand avait fait une crise cardiaque ; l'éternité du silence de Youyou au bout du fil avant qu'il ne lui assène la terrible vérité ; et ce vertige, ce spasme qui l'avait traversée ; et cette détresse, sœur jumelle des larmes, qui l'avait envahie et qu'elle ne pouvait partager avec personne. Des heures après, elle avait composé le numéro de Régis. Oui, il s'occuperait de tout ; il irait à Miami, ramènerait le corps à Montréal, qu'elle ne s'inquiète de rien. Il était là.

L'horloge grand-père sonna cinq coups, largement espacés ; une lourdeur de glas. La pensée de Leyda dériva vers la grande poitrine de bois vide où le balancier de cuivre battait la mesure, imperturbable, la mesure du temps. Un an après la mort de Normand, la visite d'Amparo venait amnistier le passé. Un moment, elle avait cru que les révélations d'Amparo allaient achever de l'anéantir, tuer en elle ce qui restait de vie. Erreur. Elles lui avaient permis de prendre conscience que les images du passé, celles de leur adolescence à Normand et à elle, celles des premiers temps de leur mariage, avaient servi de masque aux dernières années de leur vie commune. Elles avaient joué le rôle de remparts pour la protéger de la réalité, elles lui avaient permis de supporter le vide de l'existence après la mort de Normand. Pour croire en leur pérennité, elle avait dû se mentir, ignorer que l'être humain ne cesse de s'inventer.

Voilà qu'Amparo venait de l'en délivrer, de les lâcher à la dérive dans les courants d'un fleuve qui les emporterait loin tandis qu'elle, Leyda, poursuivrait sa route. Là résidait toute la différence entre Amparo et elle. D'un côté, l'attitude qui veille à ce que les blessures gardent le vif du premier jour où elles ont été reçues ; de l'autre, de son côté à elle, Leyda, la fin d'une lutte contre soi-même, l'acceptation, enfin, de la perte. Les derniers propos d'Amparo avaient enseveli dans sa conscience le souvenir de Normand comme les laves du Vésuve la ville de Pompéi. Et désormais, même des coups de pioche ne pourraient plus les faire émerger dans sa vie.

Leyda eut l'impression que les cinq coups de l'horloge avaient fait dévier le cours de la pensée d'Amparo aussi. Après avoir sursauté, celle-ci resta un instant pensive puis se leva brusquement : « Il faut que je parte », dit-elle d'un ton un peu sec. Avant de franchir la double porte vitrée, frileuse soudain, elle enroula soigneusement autour de son cou les plis de son foulard de soie. Au moment de descendre la dernière marche et de mettre les pieds sur le trottoir, la jeune femme rejeta la tête en arrière. Cherchait-elle encore, dans les lambeaux de ciel qui apparaissaient entre les branches des érables, des souvenirs égarés ? Elle se tourna vers Leyda et dit : « J'espérais sortir d'ici soulagée. » Leyda hocha silencieusement la tête et se dirigea vers le patio aménagé à côté de la maison.

V

ÉPILOGUE POUR LEYDA

Ce jour de la visite d'Amparo, j'avais rendez-vous avec Leyda. Je projetais de l'emmener souper au centre-ville. Quand je me suis rendu dans l'appartement de Ramon à Miami pour faire le tri de ce qui appartenait à Normand et que je voulais ramener à Montréal, Youyou m'avait accompagné. Il m'avait parlé du séjour d'Amparo à Miami. Je ne l'ai jamais mentionné à Leyda, même en la voyant chaque jour s'enfoncer davantage en elle-même. Je n'en avais pas le droit. Tout l'après-midi, je ne cessai de me torturer l'esprit. Que voulait Amparo ? Pourquoi ce besoin, plus d'un an après, de rencontrer la veuve de Normand ? N'arrivant plus à me concentrer sur mon travail, à seize heures je quittai le bureau, récupérai ma voiture au stationnement et pris l'autoroute Ville-Marie en direction de Notre-Dame-de-Grâce.

Sur les grandes artères, l'heure de pointe bat son plein. Les voitures avancent pare-choc contre pare-choc. Pour calmer mon impatience, j'allume la radio. « Mille kilomètres de dérive en mer de Chine pour une cinquantaine de boat-people vietnamiens qui, terrassés par la faim, ont tué un de leurs compagnons et l'ont mangé », annonce le speaker. Je presse sur le bouton digital. Je n'ai pas l'esprit à m'abreuver des bruits et des horreurs du monde.

À Radio-Canada MF, les accents d'une symphonie de Schönberg ramènent ma pensée à Leyda. Je n'ai jamais pu comprendre sa passion pour ce compositeur qui, me semble-t-il, ne dévie jamais des impératifs d'une rigoureuse et excessive technique. Les diverses interprétations de ses œuvres que j'avais écoutées, avaient toujours provoqué chez moi une incontrôlable irritation. J'en ai fait part à Leyda, une fois. De cet air triste et grave qui était devenu le sien depuis la mort de Normand, elle m'avait répondu : « Schönberg est le poète de l'horreur, de l'épouvante, des ambiances tendues. En écoutant une symphonie de Schönberg, les sonorités qui s'en dégagent évoquent pour moi les bruits d'une mer agitée. J'aime ce sens dramatique légèrement romantique ; ces silences qui s'intercalent dans le déroulement de la trame musicale, qui composent avec les sons, bouleversent la régularité à laquelle était contrainte la musique avant lui, me suggèrent l'impression que le monde extérieur s'effondre et qu'il ne reste plus que des plis et des plissements intérieurs. »

Pour m'extraire du flot de voitures qui encombrent l'autoroute Décarie, je prends la sortie de la rue Saint-Jacques. Une boucle et je débouche sur la côte Saint-Antoine. Ce quartier de Montréal anciennement cossu, bien que charcuté par la grande trouée de l'autoroute, arbore un visage sans ride ; le temps avait passé sur lui, sans grands heurts. Les maisons avaient gardé leur cachet : porches discrets, jardins et patios jalousement cachés par des haies de chèvrefeuilles couverts à cette époque de l'année de feuilles argentées.

Je tourne à gauche sur l'avenue Oxford. L'interdiction de stationner entre seize et dix-huit heures sur la rue Sherbrooke a forcé les automobilistes à trouver une place dans les rues transversales. Je me range en double file, en attente d'un espace vide.

De là, je vois la porte vitrée s'ouvrir et les deux femmes sortir sur la galerie. Amparo, dans sa jupe en denim brodée, est l'image-type de la Latino-Américaine. Les derniers reflets du soleil couchant sur ses cheveux la baignent d'une aura qui me fait penser à l'or des tableaux religieux. D'un pas qui me paraît hésitant, elle descend les degrés du perron, s'arrête au dernier, rejette la tête en arrière, de ce geste que l'on fait pour regarder le ciel et déterminer le temps qu'il fera. Puis elle pivote sur ses hauts talons aiguilles, s'adresse une dernière fois à Leyda. Je n'entends pas ce qu'elle dit, même si la vitre de ma portière est à demi baissée. La voilà qui traverse la rue d'une allure pesante, celle des ouvrières de la rue Chabanel abîmées par une longue journée de labeur. La voiture rouge stationnée en face de la maison de Leyda est la sienne. Je ne tarderai pas à la voir démarrer. Je range la mienne à la place vacante, descends, grimpe prestement les marches menant à la galerie.

Leyda revenait du patio, un balai à la main. Quand elle me vit, elle le laissa tomber et ouvrit tout grands les bras. « Régis, je viens de vivre une sacrée journée ! » Je la serrai contre moi. Elle prit une profonde respiration et murmura lentement : « Certains moments redonnent à la vie tout son sens et orientent notre dérive. Dans le silence ou la clameur de l'affliction, dans la tristesse plus ou moins proclamée du deuil, nous savons qui nous perdons et non ce que nous perdons. Que pleurons-nous dans la mort de l'autre ? Nos désirs inassouvis ? Notre immortalité bafouée ? Dis-le moi, Régis ? » Je compris sans qu'elle ait eu besoin d'expliciter davantage, le sens de ces questions apparemment sibyllines : Leyda venait de donner à Normand sa vraie mort : l'oubli. Dans ce théâtre d'angoisse, de perplexité, de souffrance sans cris, une pièce s'achevait, avec des mots brouillés, indéchiffrables énigmes qu'un sphinx s'obstine à poser. Sous les pas de Leyda, après la disparition de Normand, s'était ouvert un gouffre insondable. Aujourd'hui, elle remontait vers la clarté.

Sur la pelouse un couple d'écureuils gambadaient, insouciants du vacarme des voitures et des autobus surchargés, là-bas, rue Sherbrooke. En rangées tapageuses, avec des bruissements d'ailes mêlés à des couacs aigus, une avalanche d'oies blanches dessina des éclairs d'argent dans le ciel de l'avenue Oxford. « Cette fois-ci, ajouta Leyda, avec Normand, j'en ai vraiment fini. » Je lui entourai les épaules de mon bras droit et la poussai doucement vers la porte vitrée, restée entrouverte. Elle résista un peu à ma pression, voulut se baisser pour ramasser le balai. Cela n'était plus nécessaire. Le vent s'était levé et emportait par vagues les feuilles des érables centenaires jaunies par l'automne en force.

TABLE

Troisième partie

DANS LE SILENCE OU LA CLAMEUR !

Impression réalisée sur CAMERON par

BUSSIÈRE CAMEDAN IMPRIMERIES

GROUPE CPI

à Saint-Amand-Montrond (Cher)
en février 2001

Dépôt légal : février 2001.
Numéro d'impression : 010548/1.

Imprimé en France